JN061280

ソシオ情報シリーズ19

三弥井書店

ソシオ情報シリーズ19「社会情報の現場から」もくじ

*Contents*

# 第1章

## まやかしのがん情報

――国が蔓延させた日本人のがん――

林　俊郎

ソシオ情報シリーズ 19
Series of Socio Information

# はじめに

## 国民不在の医療行政

戦後間もなくから日本人の生活環境は急速に改善されて乳児死亡率が世界一低い国になった他、高齢者だけでなく各年齢層とも死亡率が確実に低下し、日本は世界一位の長寿国になって久しい。日本を長寿国にさせた主な要因は、潤沢な食糧供給、上下水道の整備などによる衛生環境の改善、そして国民皆保険による手厚い医療の三つである。しかし、長寿国と手放しで喜んでばかりもおれない深刻な問題がある。二〇一七年の日本人の死亡数は一三四万人、その内訳を見ると、がんが死因の一位で三七万人、次いで心疾患二〇万人、脳血管疾患一〇万人と続く。

ここでは日本人に特異的な三大がんであった肺がん、胃がん、肝がんを取り上げるが、その理由は次の通りである。

(1) 肺がんは一九九六年に胃がんを抜いてがん死の一位になり、その後も増え続けている。これほどまでに日本人に肺がんを蔓延させた背景には、医学界のたばこ擁護の誤ったがん情報がある。

(2) 日本は世界に突出する胃がん大国である。胃がんが蔓延した背景には、国民に猛毒を暴露させ続けた厚生行政の失策がある。

(3) 日本は先進国中で突出する肝がん大国である。肝がんの原因をアルコールと長く国民を欺き通してきた背景には、医療行為による肝炎ウイルス感染があった。

がんは生活習慣病の一つであり、国はその原因を個人の生活習慣にあるとして自己責任を強く打ち出すようになってきた。しかし、これは国民に対する重大な裏切りである。本稿では、これらのがんは国の厚生行政の失策がもたらしたものであることを明らかにする。

## 一　成人病が生活習慣病に改められた本当のわけ

生活習慣病とは高脂血症や高血圧、糖尿病、がんなど加齢とともに増加する治りにくい疾病の総称であるが、一九九六年まではこれを成人病と呼んでいた。成人病がなぜ生活習慣病に改められたのか。『厚生白書』によると、以前は成熟期以降の加齢とともに発生する病の総称としていたが、近頃になって子供にも糖尿病などが発生するようになったためという。しかし、そのようなことは早い段階から分かっていたことであり、初めから生活習慣病とすべきであった。米国をはじめ多くの国が生活習慣病としてきたのに対して、日本だけが成人病という名称に拘わり続けたのはいかにもこの国らしい。

なぜこの時期になって生活習慣病に改めなければならなくなったのか。戦後からの厚生行政の歴史は汚点の歴史でもあった。それらを数えあげればきりがないが、がんに限定して少し触れることにする。かつて厚生省は利権目的にダイオキシン騒動を画策したが、驚いたことに当時それに絡んでか、国の基本統計である『人口動態統計』の肝がん死亡率の大胆な改ざんを行っている。また、がん予防としては他国と異なり、集団検診を前面に掲げ、早期発見と早期治療による異様に高い生存率を国民にアピールしてきた。さらに、がんの最大の原因であるたばこを擁護するかの情報を流布させてきた。一九八四年にはこの政策をさらに進めるために「対がん一〇カ年総合戦略」を掲げてがん対策に取り組み、一〇年後にその成果として一〇項目をあげた。しかし、それは衝撃的な内容であった。一項目から八項目までは具体性に欠ける成果なるものが書かれていたが、九項目に「治らないがんのあることが分かった」、そして最後の項目に「予防の大切さが分かった」とあった。ここで言う治らないがんとは、肺がん、肝がん、膵臓がんなどであり、予防の大切さとは禁煙のことである。多くの国民が検診こそがん予防の要と信じてきたが、検診はがんの予防ではなく、がんで死なないための手段の一つに過ぎない。しかも、その有効性も怪しくなってきたのである。これまでのがん対策を根本的に改めなければならないほどの無残な敗北宣言であったと言える。ここにきて、厚生省はがん対策の一大転換を余儀なくされたのである。血友病患者の薬害エイズ感染やライ病患者の強制隔離政策など世界の潮流に逆行してきた政策の誤りを認め、九六年版の『厚生白書』で国民に謝罪した。さらに、翌年の白書で医療政策を抜本的に切り替える方針を打ち出した。そして、これまでの汚点の歴史に幕引きを図るかのように二〇〇一年に労働省を合併して厚生省の名称を厚生労働省と改めた。なお、本稿では、本来は旧厚生省としなければならないところを、あえて厚生省としている意図をご理解いただきたい。

### 厚生官僚トップの収賄事件

汚点の厚生省に終止符を打ったところに、またしても新たな厚生省問題が浮上してきた。こともあろうに厚生省官僚のトップの事務次官が特別養護老人ホームの認可にあたって七千万円のキックバックの他に、長年に及んで新車の提供やゴルフなどの接待を受けていたことが発覚し、二〇〇三年に検察に起訴された前代未聞の事件である。

ここで一九九七年の医療改革に話を戻す。この年の白書で成人病を生活習慣病に改め、これまでの政策とは打って変わり、たばこの害を特別の項目を設けて訴えたのである。皮肉にもここにきてようやく日本も国際基準に一歩近づくことになったが、世界より遅れること四〇年であった。国が成人病を生活習慣病とした真の理由は医学的見地よりも国の財政危機からである。たばこによる損害は医療分野だけでもたばこ税がもたらす利益をはるかに凌駕し、毎年増え続ける社会福祉予算は財政崩壊寸前に達していた。そのため、ややいたわりの意味合いを込めた成人病を生活習慣病に改め、自己責任を明確に打ち出したのである。そしてこれまでの手厚い医療から一転して、残された余生を大切にとクオリティー・オブ・ライフの掛け声のもとに早々に病院から退去させる患者放任政策に切り換えた。

## 二　肺がん大国に導いた医学界の汚点

米国の喫煙者は低学歴の貧困層に多いとされるが、日本はむしろ知識人ほどたばこの安全性を信じていた。がんの専門書に『がん全書』（世界文化社）という大判（A四）でおよそ六〇〇ページからなる重厚な本がある。この『がん全書』の表紙をめくると、冒頭に監修者の言葉として「俗説を排し、正しいがん知識の習得と、早期発見の努力を…」と大きく記してある。肺がんの項目を開くと、大見出しで

「肺がん　タバコだけが肺がんの原因ではない。世界的に増加の傾向に」とあり、それに続く小見出しに「タバコに無関係な肺がんもある」と駄目押しをしている。俗説を発しているのは誰か？　築地の国立がんセンター病院長監修の専門書である。この文言を一読するだけで、いかにこの国の医学界が、WHOをはじめとして当時の世界の医学界とは逆行した観念にとらわれていたかが分かる。この専門書は一九九一年刊行であるが、それまでも数十年間、日本人に多い肺がんはたばことは関係のないがんであると喧伝され続けてきた。国内では日本医学界のこの見解に強く反対する国立がんセンター元疫学部長の平山雄氏らがいたが、これに対して当時の医学界は真っ向から対立していたのである。とても信じられないことだが、呼吸器内科の医師もこれ見よがしにたばこを吹かし、心理学者や編集者など知識人とされる人々がたばこを擁護していた。本人の名誉のために名は伏せるが、「絶対に肺がんにはならない」と主張していた文化人が次々と肺がんで亡くなられた事実は重く受けとめねばならない。人間は自分に都合の悪い情報に対しては目や耳を塞ぎ、都合の良いものだけを集めて強固な信念を築くものだが、そのようなものは科学的事実の前にもろくも崩れ去る。

現在亡くなっている日本人の六％が肺がんであるが、これは男女合わせてのことで男性に限定すればがん死の二五％は肺がんであり、四人に一人がこのがんで亡くなっている。これを喫煙者に限定すればどのようなことになるか想像はつく。

これほど悲惨な状況になるまで日本人を喫煙に駆り立てたものは何か。当時の医学界が錦の御旗のように崇め、信じ込んだものにオスロにある肺がん研究所のクレイバーグの古い報告がある。肺という臓器は酸素を体に取り込んで、老廃物の二酸化炭素を排泄する交換器の役割がある。肺はブドウの房のような構造をしており、肺がんは太い気管支が集まる肺の中心部に発生する肺門部がんの「扁平上皮がん、小細胞がん、大細胞がん」と、肺末端のブドウの粒のような肺胞に発生する肺野部がん、主に「肺腺がん」に分かれる。彼は肺がんのタイプと喫煙の関係を調べ、肺門部がんはほとんど喫煙者に限る（六〜三〇倍）ことから、これをクレイバーグⅠ型、末梢の肺腺がんは一・三倍と喫煙者にやや多いがんとしてクレイバーグⅡ型とした。肺腺がんはフィルター付きのたばこの普及とともに世界的に増えてきたが、日本ではこれが肺がんのトップで、男性で四〇％台、女性に至っては七〇％を占めている。日本の医学界はこの報告に着目して、日本人に増加している肺がんはたばことは関係のないがんであると、盛んに喧伝したから、国民はすっかりそれを信じ込んでしまった。古い話になるが、かつてＮＨＫで橋田壽賀子氏の半生を綴った朝の長編ドラマが放映された。その中で愛煙家の夫が肺がんで入院したおりに「主治医から私の肺がんはたばことは関係のないがんだと言われた」と語るシーンがあった。公共放送を活用した巧妙な洗脳である。医学界はしきりに日本人に肺がんが増えてきたのは高齢者が増えてきたためで、実際には増えていないと主張してきた。日本人の肺がん死は一九五〇年の一、一一九人に比べて二〇一六年には七・三万人と実に七〇倍近くも増加したが、確かにこれはがん年齢層が極端に少ない時代と超高齢時代を単に人口当たりで比較したもので、これでは肺がんの脅威が高まっているかどうかは分からない。年齢構成を一九八五年のそれに統一した年齢調整死亡率で比較すると、人口一〇万人当たり男性で一九五〇年の三・八から、二〇一六年には三七・六とほぼ一〇倍になっている。一方、女性では同様に、五〇年が一・三から二〇一六年は一一・〇と八倍も増加している。これはたばこの消費が少なかった五〇年代に比べて、年齢に関係なく日本人の肺がんリスクが男性で一〇倍、女性で八倍に高まったことを示しており、これは高齢化とは何の関係もない。

さて、日本人の肺がんはたばことは関係のないがんであるという説が誤りであることを最初に立証したのは私が著した『がん死のトップ　流行する肺がん』（健友館、一九九七）である。それは、原発用燃料を採掘するウラン鉱夫の高い肺がん死のデータ解析からである。ウラン鉱夫の肺がんについてＷＨＯが詳細な調査データを公表している。それによると、一般の非喫煙者の肺がん死に対して、喫煙をするウラン鉱夫の肺がん死は一〇〇〜二〇〇倍にもなる。ウランは自然崩壊してα線を放出するラドンガスを発生する。肺に吸い込んだラドンガスが放出するα線とたばこの毒の相乗効果により、肺がんリスクが一〇〇倍以上も高まったのである。たばこを吸わないウラン鉱夫の肺がん死亡率は、一般の喫煙者の死亡率よりもむしろ低い。たばこがウラン鉱夫の肺がん死を一〇〜二〇倍も増加させたのであるが、その中に肺腺がんも同様にたばこによって一〇倍以上も増加していたのである。要するにこれは、肺腺がんもたばこの毒によって惹起されることのまぎれもない証である。

### 喫煙とともに突出した米国の肺がん

もう少し具体的な事例を紹介しよう。これは一九三〇年から一九九〇年までの米国男性の部位別がんの死亡率を年齢調整死亡率（訂正死亡率）で表したグラフである。これを見て驚かない人はいないだろう。たばこを吸い始めた米国男性の間でやがて肺がん死が急増し、どのがんよりも突出している。米国では一九〇〇年頃から男性の間で紙巻きたばこが普及し始め、三〇年のタイムラグを経て肺がん死の増加が始まった。その後も喫煙率は上昇を続け、それとともにあるタイムラグをおいて肺がん死も増加を続けた。一九〇〇年に比べて男性の肺がんリスクはあらゆるがんを超えて二〇倍も高まった。やがてたばこによる肺がんの恐怖を目の当たりにした米国男性は次第にたばこから遠ざかるようになったが、肺がん死はしばらく高い値で横ばいを続けた。禁煙の効果が現れてきたのは、やはり三〇年のタイムラグを経てからである。今日では、米国男性の肺がん死はピーク時に比べて五〇％も低下している。それに対して、女性の肺がん死は男性よりもひと世代も遅れて一九六〇年になってから突如増加を始めたが、その理由は女性が男性よりも三〇年も後になってたばこを吸い始めたためである。この男女差は、肺がんの流行がたばこに強く依存し、他の要因を否定する証とされている。なお男性と異なり、容易に禁煙に転向しない女性の肺がんは今も高い状態を

アメリカ男性のがん部位別年齢調性死亡率

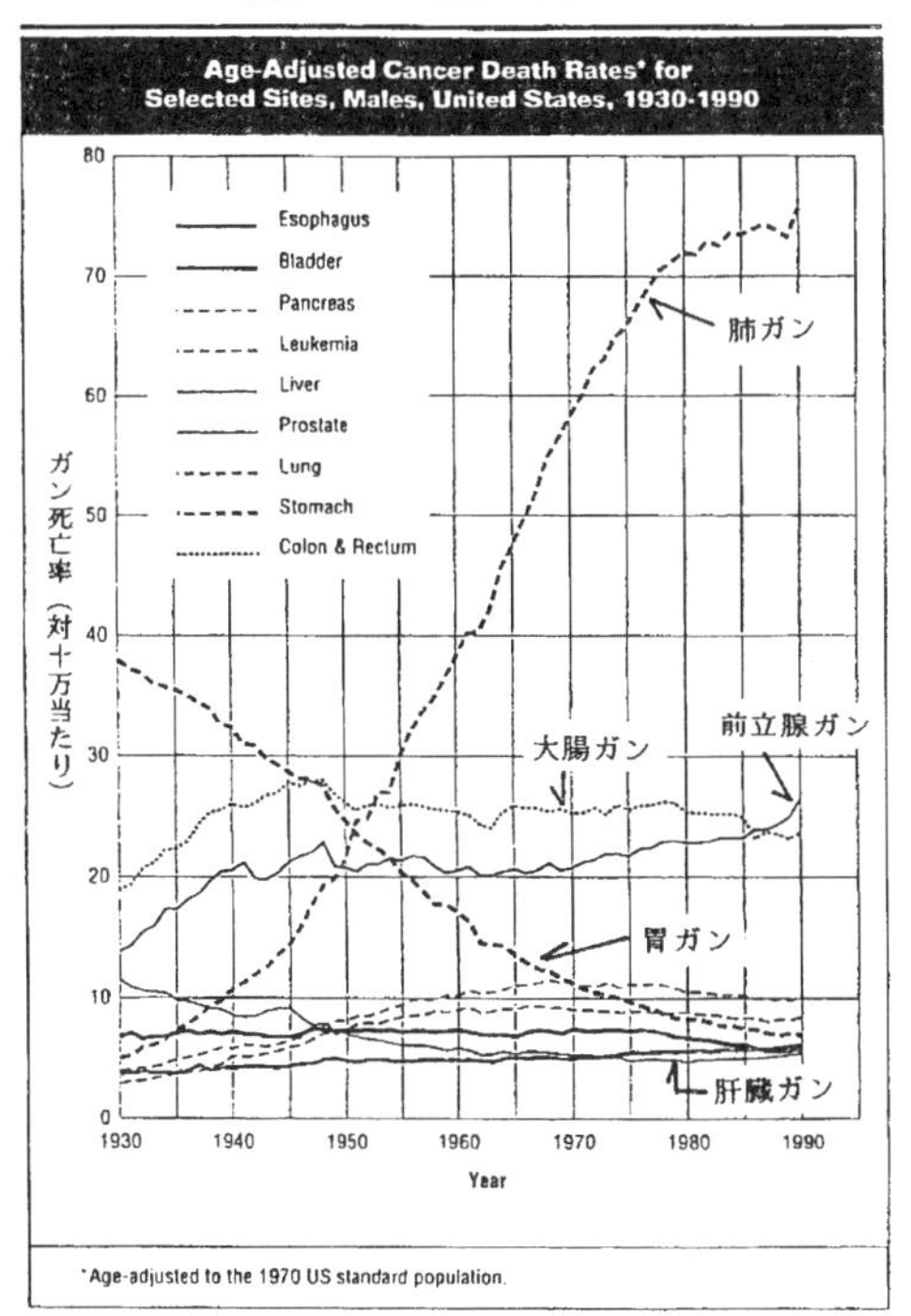

続けている。

このグラフを喫煙率の推移とともに眺めると、肺がんは遺伝や水、さらには食物などによって発生するものではなく、まさにたばこ病そのものであることが分かる。そして、この肺がんの中に四〇～五〇%を占めるのが肺腺がんである。このように喫煙率と相関して増減する肺腺がんを、たばことは関係がないがんであると頑なに国民を欺き通した日本医学界。その背後に何があるのか？　なにしろ、たばことは関係がない肺がん説は日本だけであるからだ。

## 三　疑わしい肺がん集団検診効果と生存率

先にも述べたように日本は肺がん予防として集団検診を推進し、早期治療による高い生存率をアピールしてきた。しかし、**世界的には肺がんの集団検診の有効性は否定されている**。残酷な言い方だが、集団検診による肺がんの見落とし率は六六%と高く、たとえがんが見つかったとしても生存率の向上には結びつかず、むしろ大量の疑陽性者に対する過酷な精密検査が却って被検者にリスクをもたらすという。結局、肺がんから身を守るには禁煙以外には方法がないというのが国際的な見解である。ただし、肺がんのリスクが二〇倍以上と限りなく高いヘビースモーカーには検査を進めているが、これは集団検診とは意味合いが異なる。

肺がんの発見がこれほどまでに難しい理由を説明しよう。肺がんの集団検診は今も昔も胸部X線写真と喫煙者にはこれに喀痰検査の細胞診が加わる。喫煙者にほぼ限定される肺門部がんは太い気管支などが邪魔をして、ほとんどX線写真には写らない。そのため、肺門部がんの検査には喀痰検査以外には方法がない。がんがよほど進行して崩れ落ちたがん細胞が痰の中にまで流出してはじめて見つけることができる。痰に紛れ込まなければたとえあったとしても見つからず、検査技師による見落としの場合もある。結局、X線写真で発見できるがんはほとんど肺の末端の肺胞に発生する肺腺がんだけということになる。しかも、X線写真で見つかる肺腺がんは、肋骨が邪魔をして直径二センチ以上、中には四センチにもならなければ発見できないケースもあるという。がんは最初のがん細胞が芽生えてから倍々に分裂し、やがてそれを四〇回も繰り返すと直径一〇センチにもなり生体の死を迎える。がんは数十年をかけて規則的に分裂を繰り返すが、がん細胞は長さ五～一〇ミクロンであるから、長い間ほとんど肉眼では見つけることができない。仮に直径一〇センチのがんの年齢を八〇歳とすると、直径一センチになったがんは六〇歳に相当する。X線写真で検出できる直径二センチのがんは末期に近いがんであり、とても早期がんとは言えない。そのため、肺がん患者の予後は厳しい。米国がん協会の一九九六年版の『がん統計』によると、米国白人男性の肺がん患者の五年生存率は一三％であり、患者の十中八九が五年以内に亡くなっている。それに対して、同年版の日本の『がん統計』では男性肺がん患者の五年生存率は病期に関係なく平均三八％になっており、病期Ⅰでは八七％としている。これだと日本の肺がん患者は米国に比べて三倍以上も生存率が高いことになる。ところが当時日本には米国と異なり、全国規模でがん患者を追跡した統計データはどこにもなく、それが行われているのは大阪府と福井県ぐらいであった。

一九九五年の大阪府の報告によると、男性肺がん患者の五年生存率は一一％であり、福井県は七％であった。大阪府の報告書はがん検診にも触れ、検診の見落とし率の高さや、過酷な精密検査、検診で命を拾う可能性の低さを指摘し、国の集団検診に偏向した肺がん対策を厳しく糾弾している。先に述べたように日本医学界は対がん一〇カ年計画の成果の中で敗北宣言を出したにも関らず、精密検査の胸部ＣＴでゴマ粒大のがんでも見つけられるとして、今なお集団検診を推進している。しかし、そのゴマ粒ががんである保証はどこにもなく、むしろそうでないケースの方が多いだろう。また、肺の奥深くに潜むゴマ粒を探り当てて細胞診をすることも不可能に近い。いきおい確定診もないまま、将来がんになるかもしれないという不安から手術に応じた人は少なくないだろう。がんでもない人に手術することから見かけ上の生存率は高くなるが、その背後に不要な手術で残された余生を後遺症に苦しむ人々がいる。

## 四　がんは遺伝病ではない

米国男性の肺がん死亡率は喫煙習慣とともに推移し、その習慣がなくなると大きく低下し、やがてまれながんになろうとしている。日本人のがんの種類も時代の推移とともに変化してきた。戦後からがん死の最大のものであった胃がんの年齢調性死亡率は一九六〇年をピークに大きく低下を始め、やがてまれながんになろうとしている。日本人男性のがん死の二位であった肝がんも一九九〇年をピークに減少を始め、まもなく姿を消そうとしている。一方、肺がんは戦後ごくまれながんに過ぎなかったが、やがてたばこの消費とともに急増し、あらゆるがんを席巻してがん死の一位となり、今なお猛威を振るっている。このようにがんは遺伝する病気でもなければ自然に発生するものでもなく、ある確かな要因によってもたらされ、その要因を取り去ると、やがて消えていく流行病である。もう少し具体的に説明すると、正常な遺伝子がある因子によって突然変異を起こしてがん遺伝子になり、この細胞が増殖したものががんである。突然変異を起こす物質をイニシエータ、がん細胞の増殖を促すものをプロモータと呼ぶ。がん遺伝子ができなければ、どれほどプロモータに暴露してもがんは発生しない。ところが、これらがごちゃ混ぜに論じられているからなんでもかんでも発がん物質にされてしまう。現在の最大の発がん物質はたばこの煙に含まれる複数の毒物であり、これらは最強のイニシエータであるとともにプロモータでもある。そのため、たばこの毒は肺がんだけでなく多くのがんの促進に関与する。がんで亡くなる男女比は戦後になって男が約二倍と圧倒的に多くなったが、これは喫煙率の差による部分が大きい。現代の日本人男性のがん発生への寄与度は、たばこが最大のもので三〇%、感染症要因二二・八%、飲酒九・〇%、塩分摂取一・九%、肥満〇・八%、果物不足〇・七%、野菜不足〇・七%という。これは平均であるから、喫煙者についてはたばこの影響はこの二倍ほどと考えた方がよさそうである。喫煙者の肺がんリスクは欧米では二〇倍以上としているのに対して、日本人は四・五倍と低い。たばこの影響が日本では小さいように受け取られるが、これは見かけ上の現象に過ぎない。かつての日本人男性の喫煙率は八〇%であり、一億国民が受動喫煙を強いられていた異常な時代背景を考慮しなければならない。

## 五　アルコールは肝がんの最大の原因？

肝がんの問題ほど医学界の汚点を赤裸々に示したものも珍しい。医学界は肝がんの最大の原因はアルコールであると国民を洗脳してきた。今でも肝がんの原因はアルコールと信じている人は多いが、それは間違いである。日本人の肝がんの多くは医療行為によってもたらされたものであり、このがんは先進国中で突出している。

肝がんは慢性の肝炎から肝硬変を経て発生するが、慢性肝炎はウイルスのキャリア化によってもたらされる。アルコールによる肝炎はアルコール性肝炎と呼び、禁酒すれば速やかに治癒し、がんにまで発展することはない。日本人に慢性肝炎をもたらす肝炎ウイルスはほとんどB型とC型である。B型肝炎は貧しい国に多発し、低栄養下で出生時に母子感染をするほか、免疫力の弱い七歳までに医療行為などによって感染するとキャリア化する。戦前から戦後に日本人に多い肝がんはB型ウイルスによるものであったが、その後の医療活動によりC型ウイルスが急増して肝がんの七割を占めるまでになった。C型ウイルスは長くその存在が分からず、八〇年代末になって遺伝子構造が解明され抗体検査が確立された。このウイルスはほとんど母子感染や性感染することはなく、日本人の感染原因は主に輸血や予防接種時の注射針の使い回しなどの医療行為によるものである。医学界は肝がんの真の原因をひた隠しにし、それを個人の飲酒に転嫁してきた。ウイルスが原因であることが歴然とした後でも、戦後のヒロポンの回し打ちを原因として相変わらず個人の責任に転嫁している。

## 六　世界に突出する胃がん大国日本の謎

胃がんは一九九六年まで日本人のがん死の最大のものであり、今も肺がん、大腸がんに次いでがん死の三位になっている。驚かれる人が多いと思うが、日本人の胃がん死は世界でも突出して高い。そしてその影響は隣国の韓国にも及び、この国は長く日本に次いで二位であり、なんと日本、韓国、中国の東アジア三か国で世界の胃がん死の六割を占めている。(『胃がんで命を落とさないために』浅香正博、中央公論新社)。米国がん協会も特異的に高い日本人の胃がんに関心を寄せている。日本人に胃がんを多発させたものは何か?　現在のところ、胃がんの原因として考えられているものはピロリ菌感染と塩分のとり過ぎの二つを専門書は取りあげているが、どうも腑に落ちない。日本の胃がん患者の九〇%以上がピロリ菌に感染していることからピロリ菌説が強調されているが、胃がんでない人のピロリ菌感染率は八〇%であり、ピロリ菌に感染しながら胃がんにならない人の方が圧倒的に多い。また、ピロリ菌感染率は貧しい非衛生国に高いが、これらの国々の胃がん死亡率はむしろはるかに低い。動物実験によるピロリ菌の発がん性は、ほとんどが突然変異を起こす発がん物質との併用で立証されたものであり、ピロリ菌が胃がんの主犯でないことは確かであろう。

塩分のとり過ぎ説は、塩蔵食品を食べる機会の多い日本海側に胃がんが多く、逆に塩分摂取が日本一低い沖縄県で極端に胃がんが少ないことから出てきた説である。例えば二〇一六年の一〇万人当たりの秋田県の胃がん死亡率は六二・六と最も高く、沖縄県は一六・〇と極端に低い。一方、男性の一日一人当たりの塩分摂取量は秋田県一一・六g、沖縄県九・一gである。この両県で塩分摂取量差が二・五gに対して、胃がん死亡率の格差四倍はあまりにも大きい。また、秋田県よりも塩分摂取量が一一・八gとやや多い長野県の胃がん死亡率は約半分の三八・九であり、同じ塩分摂取量が一一・二gと多い鹿児島県の胃がん死亡率は二九・五と本土で最も低く、一方沖縄県に次いで塩分摂取量が九・八gと低い高知県の胃がん死亡率は四六・一と高い。このように塩分のとり過ぎ説に符合しない県はいくつもある。国民のコメ離れや、冷蔵庫の普及、牛乳の摂取とともに胃がんは減ったというたぐいの疫学調査は多いが、あまりにも短絡的であり国費の無駄である。いずれにしても胃がん死亡率と塩分摂取量の間に量的関係があるとはとても言えない。

次に胃がんと塩分摂取との関係を否定する決定的な事実を紹介しよう。日本人の胃がんは長い間がん死の最大のものであったが、男性の年齢調整死亡率の年次推移を見ると、一九六〇年の九八・五をピークにその後次第に低下し、二〇一六年には二一・六とピーク時の四分の一にまで低下している。女性では、六〇年の死亡率五一・八をピークに二〇一六年には八・〇と六分の一にまで低下しており、とても塩分を控えた程度ではこの異常な死亡率の低下は説明できない。胃がんの年齢調整死亡率は八〇年代に入ってより大きく低下し、他の国々のように間もなくまれながんになろうとしている。この現象は、たばこの毒とともに推移した米国の肺がん死に酷似している。そもそも、塩分には発がん性はない。

## 猛毒に曝され続けた日本民族

日本人の胃がん死亡率の年次推移は、この民族が長い間とんでもない猛毒に曝されてきたことを暗示させる。その毒を特定する前に、日本民族がいつからこの猛毒に曝されるようになったか調べることにする。

人口動態統計には五歳刻みで年齢階級別に一〇万人当たりの死亡率が年次ごとに記録されている。この膨大なデータを解析すると、驚愕の事実が浮上してくる。胃がんの年齢調整死亡率がピークになった一九六〇年に七〇～七四歳の年齢階級以降から三〇年間に生まれた世代が全生涯を通じて胃がんのハイリスクグループになっていたのである。それは実に明治から大正時代にかけた一八九〇～一九二〇年に誕生した世代であり、これ以前に生まれた世代の胃がん死亡率は明らかに低い。この事実は、衛生環境が関係するピロリ菌主犯説を完全に払拭するとともに、感受性の高い乳幼児期の毒物暴露が、がん遺伝子形成に深く関係することを示唆している。統計データはさらに、この毒が毒性を弱めながらも明治から昭和時代まで実に九〇年間に及んで日本民族を蝕んできたことを示している。がん遺伝子は胎児など幼い成長期に芽生え、長い潜伏期を経て後年にがんを発症させる。初期のハイリスクグループが乳幼児期に猛毒を暴露した時代は日本が欧米文化に倣って近代化に邁進していた時代であり、今となってはその毒を特定することはできないが、突然変異を強く誘発する抗菌物質のたぐいと思われる。戦後になって、遅ればせながら欧米に倣って食品衛生法が制定され、魚肉ソーセージやかまぼこなどの魚肉練り製品、餡や豆腐に抗菌物質のニトロフラン類が食品添加物として認可されたが、それ以前はほとんど無制限に使われていた可能性がある。高齢の方ならば誰でもハム・ソーセージなどが常温で腐ることもなく店頭に並んでいたことを記憶されていると思うが、これは猛毒のニトロフラン類による防腐効果である。はるか過去に先進諸国で食品保存を目的にニトロフラン類が使われたというが、すぐに禁じられたようである。先に紹介した米国男性のがん死亡率のグラフを見ていただければ分かるが、かつては米国でも胃がんはがん死のトップであったが、一九〇〇年代前半で胃がんが急速に姿を消したことがそれを物語っている。日本だけが戦後になっても頑なにニトロフラン類を使い続けた。猛毒のニトロフラゾンからZ－フラン、そして有名なAF－2と形や量を変えて一九七四年まで使い続けた。AF－2の認可が強引に行われたことや、一九六五年に認可されるや直ちにそれまで使ってきたニトロフラゾンとZ－フランが取り消されたことを考慮すると、製薬メーカは早くから取り消したこの二つの猛毒性に気づいており、なんとしてもAF－2の認可を急がねばならなかったと考えられる。ところが毒性の弱いはずのAF－2は不安定で、誘導体のアクリルアミドが遊離してこれが豆腐屋の主人の手にひどい皮膚炎を起こし、油揚げを揚げるおかみさんを呼吸器障害から全身性の神経症にさせた。さらに、遺伝学者から変異原性のあることが相次いで指摘され、全国的な消費者運動に発展した。AF－2の危険性を訴える群司篤孝氏に対して、損害を受けたとする製薬会社の告発により検察が彼を起訴する騒ぎまで起こった。間もなくして、この添加物の認可にあたって、産官学が癒着してずさんな審査が行われたことが明らかになった。添加物認可に深く関わった国立衛生試験所の某部長が自責の念からか動物試験を行い、AF－2がラットの胃にいくつものがんを発生させることを認めた。その情報を受けた国立がんセンター名誉総長の杉村隆氏が翌日の七四年八月一五日の終戦記念日に同試験所を訪れてそれを確認、この一二日後に食品添加物としての認可が取り消された。またしても厚生省の大失態であった。ただ誤解がないようにしていただきたいのは、今日では合成添加物の急性毒性、慢性毒性、さらに遺伝毒性等についてＷＨＯなどの国際機関により安全性が担保されていることである。今なお根強い食品添加物に対する国民の疑念は、ＡＦ－２時代のトラウマが背景にあるようだ。

なお、日本海側で胃がんが多い理由は、交通網が未発達で飢えた時代に豊漁時の魚介類への保存対策が考えられる。また、韓国に胃がんが多かった理由は、明治維新以降の歴史を見れば想像はつく。沖縄に胃がんが少ない理由は、魚肉練り製品は戦前には高価であり、また戦後の長い間、米軍の統制下にあったことが皮肉にも幸いした。

ところで話は代わるが、ＡＦ－２騒動が吹き荒れている頃に、突然厚生省の研究班が日本人に多い胃がんの原因を解明したとする六年間の研究成果を発表した。驚いたことに、野菜の食べ過ぎが原因だという。野菜に含まれる硝酸に目をつけてまことしやかな理論武装をした。この報告を受けて一時期騒然となり、食の専門誌『食の科学』もこれを特集に取りあげたが、今では誰一人としてこの野菜食べすぎ説を信じている人はいない。これこそがまやかしのがん情報である。

## むすびに

一九九五年の日米の『がん統計』によると、胃がんの五年生存率は米国白人一八％に対して、日本は六九％であった。二〇年後の今では、がん検診技術や内視鏡による施術などの技術開発によりステージ1の生存率九七％、全体平均でも七五％としている。しかし、この値は米国のそれに比べてあまりにも高い。日本の胃がん患者の極端に高い生存率について、欧米の学者は「がんでもない単なる萎縮性胃炎を早期がんとして手術している」と日本を批判している。無用な手術を受けたために、その後の生涯を後遺症で苦しむ人が少なくないことを忘れてはならない。なぜ日本では世界から顰蹙をかうようなことが平然と行われるのか。欧米では新たな医療手段を採用するにあたり、それが国民にとって本当に利益になるか否かを判定するために、必ず無作為に集団を振り分けてそれを採用したグループとそうでないグループを追跡して死亡率を比較するランダム化比較試験を実施している。ところが、日本ではこのような比較試験をすることなく集団検診や新たな医療技術が導入されている。医療が患者よりも医学界の利益優先に向かっているかのようである。

最後に、ここでは触れてはならない日本のタブーを覗いてしまったが、せめて今の若い世代が将来的にも胃がんや肝がんになる確率は限りなくゼロに近いことを明言しておきたい。問題は最大のがんの原因であるたばこであるが、現在猛威を振るっている肺がんも禁煙運動が進む中、間もなくすると急速に姿を消すことになる。日本人のがんリスクは確実に低下に向っている。

第2章

# 今後の衣生活の展望

大枝　近子

## はじめに

現在、私たちの衣生活は大きな転換期を迎えている。ファストファッションが席巻して低価格衣料を買うことが当たり前となり、これまでは考えられなかった普段着用する衣服を共有するというシェアリングエコノミーの波も押し寄せている。また、必要のない衣服を簡単に売ったり、古着を買うことにも抵抗がなくなっている。さらに、アパレル業界でも人工知能を活用した動きが出てきており、AＩが個々人へのコーディネート提案や買い物相談にものってくれ、これからの流行も予測していこうとしている。

そこで、本稿ではこうした私たちの衣生活の変化の現状を把握し、これからの衣生活への向き合い方を考えていく。

## 一　低価格衣料の現状

二〇〇八年に日本にはいわゆる外資系ファストファッションブランドであるエイチアンドエム（H&M）が上陸した。その後、ザラ（ZARA）やフォーエバー21（Forever21）などが次々に店舗を構え、私たちは流行を意識した安価な衣服を買うことが当たり前になってきている。総務省の「家計調査」によると、衣料品の購入単価は下がり続けている。一九九一年を一〇〇とすると、一九九七年は八五・一、二〇〇四年五九・七、二〇一一年五三・五、二〇一七年は少し持ち直したもののそれでも五六・九となっており、一九九一年に比べて六割を切っている。

しかし、そのファストファッションもザラやユニクロの勝ち組と、そうでないところに二極分化しているのが実態である。この理由については第一に品質の問題がある。安かろう悪かろうという使い捨て文化の象徴のような衣服に対して若者でさえも満足がいかなくなってきている。第二に環境問題や人権問題への関心が徐々に高まってきていることが挙げられる。二〇一七年のバングラデシュの縫製工場の倒壊事故から人々はこの低価格衣料の裏側に潜む悲惨な現状に目を向けるようになったのである。

こうして飛ぶ鳥落とす勢いであったファストファッションにも陰りが見え始めている。二〇一五年頃からトップショップ（TOPSHOP）やギャップ（GAP）傘下のオールドネイビー（OLDNAVY）が日本市場から撤退し、二〇一七年一〇月にはフォーエバー21の旗艦店である原宿店が閉店し、二〇一八年七月にエイチアンドエム銀座店が閉店している。

## 二　ネット専門ブランドの台頭

現在、ゾゾタウンやアマゾンに見られるようにネット専門ブランドの台頭が著しい。アパレルＥＣの市場規模とＥＣ化率を見ると年々伸びており、二〇一八年の市場規模は一兆七七二八億円となってい

| 年度 | EC 市場規模 | EC 化率 |
|---|---|---|
| 2014年 | 1兆2822億円 | 8.11% |
| 2015年 | 1兆3839億円 | 9.04% |
| 2016年 | 1兆5297億円 | 10.93% |
| 2017年 | 1兆6454億円 | 11.54% |
| 2018年 | 1兆7728億円 | 12.96% |

出典：ebisumart MEDIA

図1　アパレルECの市場規模とEC化率

| 順位 | 会社名（上段）<br>ネットショップ名（下段） | 流通総額 |
|---|---|---|
| 1 | スタートトゥデイ<br>ZOZOTOWN | 2120億円 |
| 2 | 丸井グループ<br>マルイウェブチャネル | 213億円 |
| 3 | クルーズ<br>SHOPLIST.COM | 190億円 |
| 4 | マガシーク<br>MAGASEEK | 181億円 |
| 5 | ファッション・コ・ラボ<br>ファッションウォーカー | 124億円 |
| 6 | ルミネ<br>アイルミネ | 60億円 |

出典：ebisumart MEDIA

図2　ファッション関連ECモールの流通総額（決算期：2017年3月期）

る。（図1）

　ゾゾタウンやアマゾンはファッション関連モールと言われ、多くのブランドの商品を販売している。

　現在の売上高ランキングの一位はスタートトゥデイ（ゾゾタウン）[1]であり、二一二〇億円という圧倒的な強さである。店舗をもたない分、経費はかからず、消費者は販売員からのストレスもなく多数の店舗の商品を十分に比較検討して購入することができる。ゾゾタウンはゾゾスーツの失敗があったものの、チャットボックスでの顧客対応や付け払い、またZOZOテクノロジーズが運営するファッションコーディネートアプリのWEARとの連携により、売り上げを伸ばしている。（図2）

　もちろん実店舗しか持たなかったブランドのEC参入も加速しており、日本ネット経済新聞の「二〇一八年版ファッション・アパレルEC売上ランキング」によると、現在EC売上高一位のユニクロは前期比二九・四％増の六三〇億円であり、売上高に占めるECの割合は七・三％（前期は六・〇％）に上昇した。ユニクロは自社ECサイトに力を入れており、オンラインにしかない限定商品を用意したり、二〇一八年四月にはＥＣサイトで注文した商品を店頭で受け取ると送料が無料になる配送サービスも開始した。また、七月には人工知能（ＡＩ）を活用したチャットボット「UNIQLO IQ」の運用も本格的に始めている。

第二位は千趣会、三位ベイクルーズ、四位アダストリア、五位ＴＳＩホールディングスと続くが、こうしたブランドはいずれも実店舗とＷＥＢのデータを一元化して顧客の囲い込みを行っている。この実店舗とＷＥＢのデータの一元化は簡単そうに見えて、実はかなりハードルが高く、これをできるか否かで二極化が起きているとも言われる。

こうしたファッションのＥＣ参入はこれからますます競争は激化すると思われ、すでにD to C（自ら企画、製造した商品をどこの店舗も介することなく、自社のＥＣサイトで直接顧客に販売する）を打ち出すアパレル企業もあり、私たちの衣生活に大きな影響を与えることは間違いない。

## 三　衣服の共有

現在、若者の間では衣服のシェアリングエコノミーの動きが出てきている。昔から婚礼衣装や成人式の着物、喪服等儀礼的な場面で着る衣服を貸衣装屋で借りることは行われていた。しかし、現在はＯＬの人の通勤着や大学生の通学服、遊びに行く時の服といった日常着さえも借りるようになっている。これはラグジュアリーブランドのバッグを共有するところから始まったと考えられる。ブランドバッグと言っても流行があり、毎シーズン購買意欲をそそるようにデザインが変化する高価格なバッグをシーズンごとに買い替えることのできる人はそんなに多くいるとは思えない。そこに目を付けたのがブランドバッグを貸し出すサービスであった。それが徐々に衣服にも広まり、しかも高価なものでない日常着を貸し出すところが出てきた。二〇一四年のエアークローゼットを皮切りにメチャカリ、サスティナ等次々に参入している。エアークローゼットは月額制で期限もなく何度でもレンタルすることができ、最初に好みのスタイルやアイテムを登録しておけばスタイリストが似合いそうなアイテムを選んでくれる。『繊研新聞』(二〇一九年九月三日)によると、エアークローゼットは最近になってこのパーソナルスタイリング提案の精度を上げるために、スタイリストを指名できる等さらに三つの機能を追加したということである。かつて日本人は他人が一度手を通したものを着るのは抵抗があると感じていたが、現在は古着を着ることに何の違和感ももたなくなっている。加えて、その抵抗感をなくすためにメチャカリにみられるように、レンタルの衣服はすべて新品で提供し、返却されたものは自社サイトやゾゾタウンで中古品とし販売するところも出てきているため、レンタルが古着であるとは限らない現状もあり、利用者のハードルを下げている。

また、着なくなった衣服を売るという行為も一般的になりつつあり、これも衣服を他人と共有するという意味ではシェアリングエコノミーと言える。着なくなった衣服は今までは店舗に持って行くしかなかったが、これもネットの普及により、申し込めば段ボール箱を送ってくれ、それに詰めて返送すれば見積もりがメールで送られてくる。それで良ければ取引は完了するという簡便な方法が主流である。ただし、買い取りの値段が安いのが欠点であり、口コミをみるとその不満が多数掲載されている。そこに目を付けたのがメルカリである。いらなくなった衣服に自分で値段を付けて写真を撮り、ネット上に上げ、それで買い手が付けば売ることができる。もちろん、買い取り専門店の査定よりも高く付けるわけであるから売れない場合も当然あるが、トータルで考えればどちらが利益が出るかは一目瞭然である。ただし、それだけの手間は当然かかる。

さらに、不要になった衣服を他の誰かに着てもらう衣服交換サービスもある。子ども服の交換サービスのリンクスはサイトに掲載されている服の中から好きな服を選び、選んだ服が自宅に届いたら、交換する子供服を同じ袋に注文した枚数と同じ枚数を入れて返送するものである。リンクスは「もったいない」という日本文化のすばらしい精神を大切にし、使い捨てが当たり前になっている現代からモノを大切にする未来へとつなぐことで、子どもの心を育んでいきたいとしている。大人対象の衣服交換もあるが、これはどちらかというとただ服と服を交換するだけではなく、人と人との交流を目的にしているものが多い。自分の思い入れのある服をその気持ちを引き継いでくれる他の誰かに着てもらいたいということで会場に集まり、パーティーのような雰囲気の中で衣服交換が行われる。

このように衣服は所有するものではなく、共有するものであるという意識が若者を中心にみられるようになってきているのも現代衣生活の特徴である。

## 四　エシカルファッションの広がり

『ソシオ情報シリーズ』で三回にわたり執筆してきたように、現在は日本においてもエシカルファッションを掲げ、活動しているデザイナーが出始めてきており、企業もCSRの一環として取り組んでいるところが見られるようになっている。また、消費者も若い人を中心に少しずつ衣服を購入する際にエシカル消費を意識しはじめている。日本衣料協会の「平成二八年度　ファッションに対する価値観に関する調査」[2]によると『エシカル』という言葉を知っているのは全体の二七・七％にとどまり、「普段から意識している」という人は三・一％とごく少数である。しかし、「オーガニック」や「エコロジー」という言葉は九割近い人が知っており、「普段から意識している」と答えた人はどちらも四分の一近い結果となっている。つまり、「エシカル」という言葉を知らなくても、そのような消費行動を意識している人は徐々に増えつつあることがわかる。

こうした中、エシカルファッションの新しい動きとしては、比較サイトが登場してきたことである。いざエシカルな服を買おうと思っても、どのようなブランドがあるのか、どこで売っているのか、どうエシカルなのか、価格帯はどうか、調べはじめると時間がかかり、結局諦めてしまったという人は多い。このようなアクセスしにくい状況を解消するため、二〇一五年にオーストラリアで開発されたグッド・オン・ユー（Good On You）はアメリカ、カナダ、ヨーロッパ各国に進出し、毎月二〇万人以上が使用しているという。グッド・オン・ユーはオーストラリアの非営利団体 Ethical Consumers が運営するアプリで、二、二〇〇以上のファッションブランドのエシカル度を比較した上で自分の好きな服を選んで購入することができる。服種を入れると、それを扱うブランド一覧が評価の高い順に表示される。評価基準は環境、人権、動物福祉の三つで、ブランドの公式情報やNGO等が公表している情報に基づいて行われており、五段階で表示される仕組みである。気になるブランドをクリックすると、ブランドの紹介、評価結果の解説、ユーザーから一番近い店舗またはウエブサイトの紹介、類似のブランドの紹介が出てきて、ブランドにメッセージを送ることもできるようになっている。

また、二〇一八年八月九日、イギリスでコンペア・エシックス（Compare Ethics）というサービスが始まった。これもさまざまなファッションブランドのエシカル度を比較するツールで、利用者が自分の好みに合ったブランドを簡単に見つけることができ、そのまま買い物もできるという機能も兼ね備えている。コンペア・エシックスの評価軸も三つある。第一に「社会への配慮」。労働者の賃金や安全な労働環境に配慮し、児童労働をさせず、労働者が労働組合をつくる権利を認めていること。第二に「動物への配慮」。毛や皮、ウール、その他動物をもとにつくる素材すべてにおいて、動物を倫理的に扱っていること。第三に「環境への配慮」。二酸化炭素の排出や、エコロジカルフットプリントなどを含めて、環境負荷について配慮していること、としている。同サイトではこれらの評価軸と、各ブランドから提供される認証や監査結果などの情報からファッションブランドを格付けし、公開している。質問コーナーもあり、利用者の関心のある事項ごとの検索も可能になっている。

欧米に比べるとわが国ではまだまだ浸透していないエシカルファッションであるが、そのうちこうした比較サイトが出てきて、私たちの衣服選びの選択肢の一つとなることは間違いない。

## 五　ＡＩとファッション

ＡＩ（人工知能）とは、人間が持っている認識や推論などの能力をコンピューターでも可能にするための技術の総称である。ＡＩの波があらゆる分野に押し寄せているが、ファッションにおいても例外ではなく、むしろ親和性は高いと言われている。今年に入って東京大学の理工学の分野でファッションに関する研究が次々と発表されたことからもそれが窺える。[3] また、『繊研新聞』でも二〇一九年六月二四日より「あらためてＡＩとは何か」という特集を組み、連載を開始した。その中で、今後の流通業界では、物流から販売、品出し等消費者に商品を届けるまでのあらゆるプロセスでＡＩが人間を支援する未来も夢ではないと述べている。現在の消費者の購買行動の多様化、労働人口の減少を考えた時には、インターネット、モバイル、ＩＯＴ（モノのインターネット）、ＡＩ、ＡＲ（拡張現実）／ＶＲ（仮想現実）などさまざまなテクノロジーの発展が必要不可欠になってくるとしている。

ＡＩ活用を考えた時に、ほとんどの企業はまずＥＣサイト向けの顧客サービスからはじめ、データの蓄積が進んだところで、需要予測やトレンド分析などに移行していく。

顧客サービスということでは、私たち消費者は次のようなアプリをダウンロードするだけでファッシヨンＡＩを活用していることになる。

『カブキスキャナー』

Line から友達追加するだけで利用ができる。買おうか迷っている衣服の写真を LINE で送ると、着こなし方を複数提案してくれる。また、雑誌やインスタグラムで見つけたお気に入りのコーディネートをアップすると、似ているアイテムを探してくれる。

『SENSY』

提示される衣服を「好き」か「嫌い」かで選んでいくだけでＡＩが好みを学習し、日々ユーザーが好みそうな衣服を集めてきてくれる。

『ユニクロ』

公式アプリ内の「UNIQLO IQ」で利用ができ、ＡＩを利用したチャットポット（自動会話プログラム）で、オンラインストアでの購入履歴やお気に入りをもとに個人に合わせたスタイルを紹介してくれる。また、アウトドア、オフィスなどシーン別のコーディネートも提案してくれる。

『ＸＺ（クローゼット）』

手持ちの服を登録するとＡＩが毎日のコーディネートを考えてくれる。気象庁の天気・気温と紐づけることで、一週間分のコーディネートを提案してくれる機能もある。

このように、商品の画像解析に基づく類似商品のレコメンデーション、ファッションアイテムの写真をベースにしたコーディネート提案、顧客の質問を二四時間受け付けることが可能なチャットシステムなどが現在すでに動いている。こうしたアプリを利用して、私たち消費者はＡＩが提案してくれたコーディネートを参考にしながら購入する衣服を決めることができる。多種多様な衣服が売られている現在、どのようなデザインの服があるか見当もつかず、しかも自分に合うかどうかもわからずに悩んでいる多くの人にとってはファッションリスク[4]をかなり低減することができ、衣服購入までの時間短縮にもつながる。

一方、アパレル業界の現在の一番の悩みの種は余剰在庫である。某ラグジュアリーブランドの在庫の焼却問題から表面化したが、環境やサスティナビリティが国際社会において重要な判断基準のひとつとなっている現在、こうした余剰在庫や焼却問題によりアパレル業界には厳しい視線が向けられている。そこで、この問題を解決するためにＡＩを利用しようとする動きが出てきている。つまり、流行を予測して余剰在庫をなるべく少なくしようというのである。

ファストファッションのザラは流行予測のために一万人の調査員を世界各地に派遣し、消費者の着用衣服を調べ上げ、手作業でビッグデータを作成している。その結果、定価で売れる商品は八〇％に及ぶという。日本のアパレル企業の五〇％に比べると圧倒的な数字であり、日本の場合は残り半分はセール品として店頭に並べられ、それでも売れない場合には焼却処分されるという悪循環に陥っている[5]。

日本のこのような状況を何とか打破するためにＡＩを用いた需要予測の取り組みが始まっている。

『ニューラルポケット株式会社』

ＡＩによるアパレル企業、アパレルＯＤＭ（製造する製品のデザインなどの開発から製造まで外部に委託するアパレル企業）を対象にしたトレンド解析サービス。世界各地のＳＮＳやファッションサイトにおける消費者画像を解析し、着用するアイテム名、色、柄、丈、シルエット等詳細なファッション情報をビッグデータとして保有し、このビッグデータを時系列で解析、表示して、需要予測サービスを企業に提供している。

『センシー株式会社』

顧客ひとりひとりの属性・購買履歴などをもとに、パーソナライズしたマーケティングを実現している。数一〇万アイテムの売上を顧客単位・アイテム単位で予測し、商品発注・仕入などのＭＤ計画を最適化し、アパレルなどのメーカー向け、百貨店・スーパー・コンビニエンスストア等の小売向けに提供している。なかでもＰＯＳ（販売時点情報管理）やウェブの履歴などの消費者行動に係るデータ分析に特化し、行動の背景にある感情の動きや理由を分析し、単なるモノを見てそれが何かを認識するのではなく、それを見てどのように感じるかといった気持ちを解析しているという。

『株式会社ニューローブ』のトレンド分析サービス【# CBK forecast（カブキフォーキャスト）】

二〇一四年から蓄積してきたＳＮＳ、ＥＣサイト、メディアなどに掲載されているファッションスナップ画像のアイテム五〇万点以上の色、柄、素材などを分析して定量的なデータとして二〇一九年二月にメーカー、卸、小売りなどファッション関連企業に提供し始めた。導入したアパレル企業は日々更新されるトレンド情報を見ることができ、またローデータを分析することも可能となっている。

このように、顧客のＥＣサイトや実店舗の購入履歴等の膨大なファッション情報をビッグデータとして保有し、在庫状況などから需要予測をしようとしているのである。

こうした中、川下の小売店にもＡＩの波が押し寄せている。『繊研新聞』（二〇一九年七月二二日）によると、アリババグループはこれからはオンラインとオフラインを融合した「ニューリテール」が生まれるとしている。すでにアパレルショップとして、スマートミラーを使って、店内の商品をバーチャルフィッティングできる店や、手に取った商品に合わせて個人にお薦めの商品やコーディネートを提案する店などを立ち上げている。これらはオフライン、オンラインの垣根なくユーザーの顧客属性や購買履歴などのあらゆるデータを取得・解析することにより、消費者の顧客体験の向上や小売店の店舗経営の効率化を推進することができるという。

## まとめ

以上のように、私たちの衣生活を取り巻く環境は今大きく変わろうとしている。低価格の衣服が当たり前となり、シーズンごとに流行の衣服を買っては捨てるということを繰り返している。一方、あまりにも流行がめまぐるしく変わるため、自分で買って持っている必要はなく、他人と共有すればそれで事足りると考える若者も出てきている。いずれにしてもかつての景気の良い時代に比べ、モノに対して所有欲がなく、ファッションに興味はあるものの高額で質の良いデザイナーズブランドをじっくり時間をかけて吟味して購入し、長く着続けたいと思う人は少なくなってきているのが現状である。さらに、あふれるファッション情報の中から何を購入するのか、どのようにコーディネートすれば良いのかはインスタグラムやWEAR等のアプリを見れば簡単にわかる。加えて、ＡＩの参入により個人向けのサービスも登場することになり、消費者はなお一層衣服購入を決断するまでの時間が短くなり、自分の衣生活のことに関して深く考えることがなくなっている。そして、アパレル企業もＡＩを利用して今まで収集してきた顧客情報や購買履歴等から消費者ひとりひとりに適したコーディネート提案をすることができ、また、欲しいアイテムをすぐに購入できるような仕組みを消費者に提供することにより売り上げを伸ばすこともできる。こうして見てくると、消費者とアパレル企業双方ともウインウインの関係であるかのように感じる。しかし、本当にそうであろうか。

私達の衣生活はただ単に流行の衣服を素敵にコーディネートして着用すれば良いのだろうか。ファッションはコミュニケーションツールの一つであり、また人間の心理とも密接につながっている。私たちは衣服によってさまざまな情報を相手に伝えているのである。そこまで考えてくれるＡＩは現在のところないであろうし、今後出てくるとも思えない。また、低価格衣料の裏に潜む労働者の人権や環境汚染の事を考えて衣服を提案してくれるＡＩは今のところないのではないだろうか。

また、ＡＩは現状の膨大なファッション情報を分析することはできるかもしれないが、次のシーズンの流行を予測することは難しいと言われる。なぜなら流行は人間の感性が介在して生まれるものだからである。ファッションとは感性に訴えることが多く、それを的確にとらえることができるのは人間であり、そして、それを選び着用するのもまた人間である。
これからはAIにできることと人間にしかできないことの棲み分けをすることこそ重要であり、それをいかに見極めるかがアパレル企業の課題となるであろう。そして私たち消費者も提案されたものをただ着用するのではなく、衣服の社会的機能や表現性を考え、生産現場へも思いを馳せて主体的に衣生活を送る姿勢が求められる。

注

（1）二〇一八年一〇月一日に「株式会社スタートトゥデイ」は「株式会社ZOZO」に社名変更。また、二〇一九年九月一二日にはヤフー株式会社が株式会社ZOZOを買収する方針を発表した。

（2）（一社）日本衣料管理協会「平成二八年度トピックス調査　ファッションに対する価値観に関する調査」概要
調査対象者：日本衣料管理協会会員大学に在籍する衣料管理士養成課程の女子大学生五八三名（平均年齢二〇・五歳）とその母親（平均年齢五〇・八歳）
調査期間：平成二八年一二月～平成二九年一月
調査方法：アンケート調査

（3）東京大学の学術成果として発表された研究の一例
二〇一九年一月「衣料品・服飾品のショピング支援モバイルアプリ」（工学部）
二〇一九年二月「最新ファッションのトレンド分析をAIが支援」（生産技術研究所）

二〇一九年三月「人間と人工知能の共存を目指したファッションショー」（生産技術研究所）

（4）消費者が衣服を購入する際に感じる懸念や不安

（5）『繊研新聞』電子版（二〇一八年）「ＡＩを利用したアパレル業界の収益構造改革（重松路威）」https://senken.co.jp/


参考文献

・経済産業省商務情報政策局情報経済課（平成三一年）「平成三〇年度 我が国におけるデータ駆動型社会に係る基盤整備（電子取引に関する市場調査）」

・経済産業省製造産業局生活製品課（平成三〇年）「経済産業の課題と経済産業省の取組」

『繊研新聞』二〇一九年七月一日「あらためてＡＩとは何か ②ディープラーニングの可能性」

・『繊研新聞』二〇一九年七月八日「あらためてＡＩとは何か ③アパレル業界が抑えるべきトレンド」

『繊研新聞』二〇一九年七月二二日「あらためてＡＩとは何か ⑤アリババのニューリテール」

・（一社）日本衣料管理協会（平成二九年）「ファッションに対する価値観に関する調査」

日本流通産業新聞社「日本ネット経済新聞」https://www.bci.co.jp/

・センシー株式会社ＨＰ https://sensy.ai/

・ニューラルポケット株式会社ＨＰ https://www.neuralpocket.com/

・株式会社ニューロープＨＰ https://www.newrope.biz/

・ファーストリテイリング株式会社ＨＰ https://www.fastretailing.com/jp/

# 第3章

# 「コト」のデザインの広がり

田中　泰恵

# はじめに

二〇一八年一〇月三一日、貧困問題解決に向けてのお寺の活動「おてらおやつクラブ」がグッドデザイン賞大賞に輝いた。この年、グッドデザイン賞には四、七八九件の応募があり、三一カ国一、三五三件がグッドデザイン賞を受賞した。一〇月上旬に「受賞発表」、さらにベスト一〇〇に選出されたデザインから「ベスト一〇〇プレゼンテーション・金賞審査会」を経て、「金賞・ファイナリスト」が決定され、その年のすべての受賞デザインを展示紹介する「受賞展」が開催される。その「受賞祝賀会」で「大賞」が決定されるのだが、大賞は審査員だけでなく、そこに来場した受賞者、一般来場者（ちなみに二〇一八年会期中の総来場者数はのべ二五六、三一三名）の投票により決められることになっている。その結果として「おてらおやつクラブ」が選ばれたのである。[1]

「グッドデザイン賞」という言葉をご存知の方は多いだろう。また「グッドデザイン賞受賞」と聞くと、「センスが良い」「洗練された」「おしゃれな」等の形容詞がつくような「モノ」をイメージする人も多いのではないだろうか。しかし二〇一八年、その大賞に輝いたのは、貧困問題解決に向けての活動、いわゆる「コト」のデザインだった。

公益財団法人日本デザイン振興会によると、グッドデザイン賞は一九五七（昭和三二）年の通商産業省（現経済産業省）主催「グッドデザイン商品選定制度（通称Gマーク制度）」創設に始まるもので、その後、公益財団法人日本デザイン振興会が業務を引き継ぎ、六〇年以上にわたり「よいデザイン」を顕彰し続けてきた。これまで、四五、〇〇〇件以上のグッドデザインが世に送り出されている。さらに「グッドデザイン賞」の審査対象は、時代の変化とともに拡大されてきた。現在では商品だけでなく、建築やソフトウェア、システム、サービス、活動など、幅広い領域が対象となっている。色彩や形状などの見た目だけでなく、「ある理想や目的を果たすために築いた物事」をデザインと捉え、総合的に審査しているという。

同振興会によると、近年は課題解決のための活動や仕組みなど、無形のデザインの受賞事例が増えたとのことだが、それでも「おてらおやつクラブ」が〝大賞〟を受賞したことは、各方面に衝撃を与えたようだ。「『モノ』から『コト』へ。グッドデザイン賞はその時代の人々の最前線の欲求とニーズを反映してきました。近年、社会の課題解決に向けた取り組みが受賞するようになったのは、いろんな人が社会をデザインしようとしていることの表れだと思います。[2]」「現状をより良くしたい、変化を起こしたいと思ったときに、人々にとって何が大切なのかをデザイン的な観点で思考し創造する事例が増えています。また、産業やものづくりにおいても、それがどう社会に貢献するのか、何のためにものを作るのか、社会にとって良いデザインとは何かを考えてデザインに取り組む方が増えてきたように思います。[3]」と、公益財団法人日本デザイン振興会　秋元淳氏は語っている。

本稿では、「子どもの貧困」という社会的課題の解決に向けた活動事例を紹介することを切り口に、「コト」のデザインの広がりについて論じたい。

NPO法人 おてらおやつクラブ「おてらおやつクラブとは」
https://www.g-mark.org/award/describe/48291 より引用

図表1　おやつが届くまで　～活動内容と支援の流れ～

## 一　おてらおやつクラブ

まず、先にあげた二〇一八年グッドデザイン大賞受賞の「おてらおやつクラブ」について紹介しなければならないだろう。

「おてらおやつクラブ」は、お寺にお供えされるさまざまな「おそなえ」を、仏さまからの「おさがり」として、子どもをサポートする支援団体の協力の下、経済的に困難な状況にある家庭へ「おすそわけ」という形で届ける活動を実施している（図表1）。

この活動を主宰する奈良県の法性山専求院・安養寺の松島靖朗氏によると、そもそものきっかけは、二〇一三年五月に、大阪で二八歳の母親と三歳の息子が餓死状態で発見されるというニュースを見たことだったという。松島氏自身、ちょうど父親になったばかりであったこと、また自身も大阪で育ち、なおかつ母子家庭だったこともあり、他人事とは思えなかったそうだ。そこでお寺のお供え物を貧困家庭に届けることが出来ないかと考え、支援活動をしている団体と相談し、お寺からお供え物を届けるようになった。お墓参りなどでお寺にお供えされたものは食べ物であるため、そのお寺の方がお下がりとしていただくのが一般的とのことだが、数が多く余ってしまうこともあり、それを分けられないのかというのは以前からずっと考えていたという。

そのように始まった活動だが、もちろん安養寺のお供え物だけで支援できるのはわずかである。「平成二八年　国民生活基礎調査」(厚生労働省)によると、「子どもの相対的貧困率」は二〇一五年時点で一三・九%、子どもの七人に一人、実に約二八〇万人の子どもたちがこの日本で貧困で苦しんでいる。さらに、ひとり親世帯の相対的貧困率は五〇・八%で、二人に一人が貧困状態にある。これらの家庭に届けるためには、多くのお寺の協力が必要であると松島氏は考えた。そこでまずは同じ宗派に声がけをして活動に加わってもらったが当然にそれでは足りず、インターネットで発信するようになり、宗派を問わず全国に活動の輪を広げていった。現在では、活動趣旨に賛同する全国のお寺と、なるべく近い距離にある子どもやひとり親家庭などを支援する各地域の団体をつなげ、お菓子や果物、食品や日用品も届けているという。

この活動は、二〇一四年に二人の事務局から始まり、二〇一七年にはNPO法人化、そして二〇一九年九月現在、参加寺院数一、二九七、協力団体数四五三団体、「おやつを受け取った子ども」は月間のべ約一二、〇〇〇人と約五年間で大きく活動規模を広げている。しかし、全国のお寺は七万七〇〇〇、相対的貧困の子どもは二八〇万人ということから考えれば僅かな数字であり、今後新しい社会インフラとしてまだまだ広がる可能性がある。この「無理のないシンプル仕組み、今後の可能性」またその「志の美しさ」がグッドデザイン賞の理念に合致し、多くの人々から高い評価を得たという。

なお、グッドデザイン賞審査委員による評価コメントは以下のとおりである。

従来、寺院が地域社会で行ってきた営みを現代的な仕組みとしてデザインし直し、寺院の「ある」と社会の「ない」を無理なくつなげる優れた取り組み。地域内で寺院と支援団体を結んでいるため、身近な地域に支えられているという安心感にもつながるだろう。それができるのは、寺院が各地域にくまなく分布するある種のインフラだからだ。全国八〇〇以上※の寺院が参加する広がりも評価ポイントのひとつであった。活動の意義とともに、既存の組織・人・もの・習慣をつなぎ直すだけで機能する仕組みの美しさが高く評価された。（※審査の段階での参加寺院数）

## 二　こども宅食

「こども宅食」は、東京都文京区が始めた「生活の厳しい子どもの家庭に定期的に食品を届ける取り組み」である。無料対話アプリLINE（ライン）で申し込みがあった区内の家庭に二カ月に一回、食品などを届けている。

この取り組みを実施する背景には、先にあげたように「子どもの貧困」の非常に厳しい状況がある。それに加えて、「生活に困っていることを知られたくない。」「自分から助けは求めにくい。」という心情もあり、子ども達になかなか支援が届きにくい現状がある。そのような環境下に置かれた子ども達は、「部活には入らない」「大学には行けない」と、少しずつ、夢を諦めたり、親もまた、「子どもの夢を、応援できなかった」と、自分を責める負の連鎖が起こってしまう可能性も高く、難しい局面がある。そこで食品配達をきっかけに気軽に相談できる関係をつくり、相談に乗ったり、必要なサービスにつないでいけたらと考え出された仕組みが、「こども宅食」なのである。

ゆえに「こども宅食」の目的は、①食品を届けることで利用世帯とつながり、コミュニケーションがとれる関係性を構築する、②宅食を通じ、利用世帯と適切な社会資源をつなぐことで高リスク層に移行することを予防する、③本プロジェクトを模倣可能なモデルにし、オープン化することによって全国に展開する、となっており、食料支援を目的にしているわけではない。

また本活動の実施団体は文京区単独ではなく、NPO法人フローレンス、NPO法人キッズドア、NPO法人日本ファンドレイジング協会、一般社団法人RCF、一般財団法人村上財団、セイノーホールディングス株式会社、および文京区から構成される〝こども宅食コンソーシアム〟[4]となっている。つまり、立場の異なる組織（行政、企業、NPO、財団など）が、組織の壁を越え、互いの強みを出し合い、こどもの貧困問題の解決を目指しているのである（図表2）。このアプローチを「コレクティブ・インパクト[5]」といい、最近ソーシャルセクターで注目を集めている。

以下のような体制で、団体ごとに役割分担をしてプロジェクトを実施している。

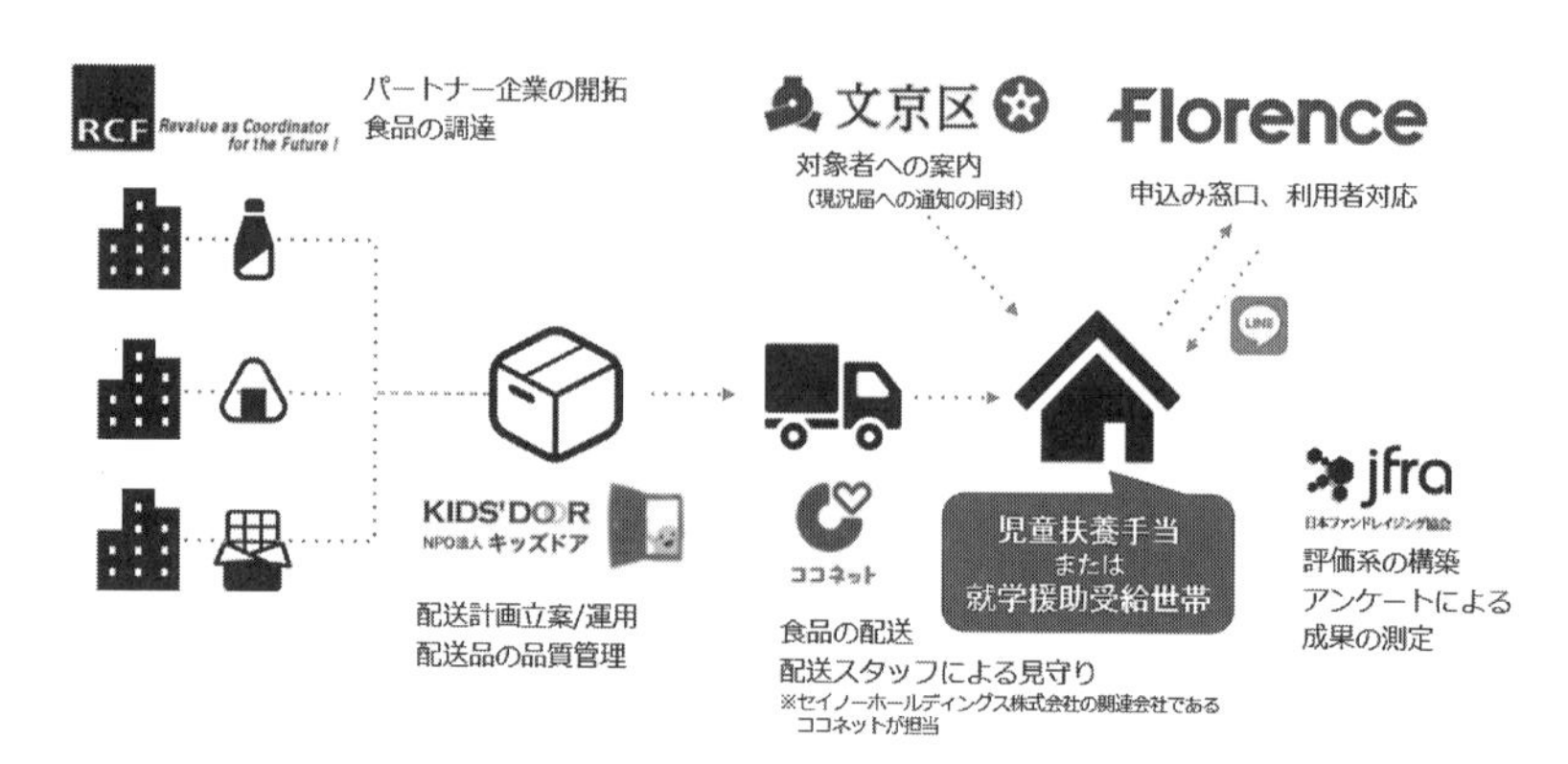


文京区こども宅配コンソーシアム「文京区こども宅食プロジェクト 2018年度インパクト・レポート」（2019年6月）より引用

図表2 こども宅食の仕組み

さらに、こども宅食の資金源は、ふるさと納税を活用している。返礼品は用意せず、集まった寄付のすべてを事業推進に活用している。また配布する食品等については、提携企業やフードバンク等の寄付によるもので、最近では演奏会チケット、書籍、ガスコンロなど、食品以外の商品や機会の提供なども実施されるが、これらも提携企業等からの申し入れによるものだ。

二〇一九年三月に厚生労働省から各自治体に対して「生活保護制度を利用している家庭に対して、子ども食堂やフードバンクなどからの食料支援やサービスを収入として認定しない」という通知がなされた。こども宅食は、これまで児童扶養手当[6]や就学援助[7]を利用する、経済的に厳しい家庭を対象に食品等を届けてきたが、これを受け、生活保護制度を利用している家庭も対象に広げ、二〇一九年六月から案内を開始したという。

ところで「こども宅食」の活動の中で特筆すべき点は、社会的インパクト評価を実施し（これにより事業の成果を確認）、より精度が高い効果を発揮するために、社会的インパクト・マネジメント[8]の考え方を導入しているところである。「文京区こども宅食プロジェクト 二〇一八年度 インパクト・レポート」（二〇一九年六月）では、評価測定として利用世帯に対してアンケート調査を実施し、その結果を分析・報告しているが、初期アウトカムとして「間食ができるようになった」など食事内容にポジティブな変化が見られたとしている。また保護者の気持ちにはポジティブな変化が見られ、特に「気持ちが豊かになった」「社会とのつながりが感じられるようになった」をあげる人が多く、こども宅食の支援の成果だと報告している。さらに、「可処分所得が向上し、節約できた金額は他の食品や生活必需品に充てることができた」「余剰時間が増加したと答えた人のほとんどが、その時間を子どもと過ごす時間に使っている」などが明らかとなっている。なお、「抑うつ傾向がある保護者の一部（三五％）に一年後に抑うつ傾向の改善が見られ、こども宅食の支援が寄与していると推察される。」とも報告されている。このように、社会的課題の解決に取り組む事業や活動が本当に社会的な価値があるのかを「見える化」することは、民間や地域からの理解や支援を得られたり、その事業や活動が成長できる環境を整えることにつながると考えられる。

最後に、この事業をモデル化し全国展開することも目標として挙げられているが、二〇一九年現在、佐賀県での立ち上げ支援が進められている。

## 三　子ども食堂

子どもの貧困対策と言われて多くの皆さんがまず思い浮かべるものは、「こども食堂」なのではないだろうか。「こども食堂」とは、一般に「子どもが一人でも行ける無料または低額の食堂」とされているが、公的な定義は存在していない。参加者も、子どものみの場所から、親子参加を認めるところ、地域住民も自由に参加できるところなど、様々である。そして実は現在もっとも多いのは、最後の「誰もが自由に参加できる地域交流拠点」としての子ども食堂だという。名称も、「地域食堂」「みんな食堂」などというところもある。テレビなどマスメディアで多く報じられたこともあり、孤食の解決、子どもと大人たちの繋がりや地域のコミュニティの連携の有効な手段として、日本各地で同様の活動が急増した。二〇一八年の調査（NPO法人全国こども食堂支援センター・むすびえの前身団体「こども食堂安心・安全向上委員会」調べ）では、二、二八六箇所あることが明らかとなり、二〇一九年六月には一・六倍増え、すべての都道府県に存在し、少なくとも三、七一八か所あるという（二〇一九年六月　むすびえおよび全国の地域ネットワーク共同調査）。

子ども食堂の発祥は、東京都大田区にある「気まぐれ八百屋だんだん」の店主であった近藤博子氏が二〇一二年に作った「子ども食堂」であるとされている。近藤氏が子ども食堂を立ち上げたきっかけは、朝ごはんや晩ごはんを当たり前に食べられない子どもの存在を知ったことだそうで、自分の手もできることとして「子ども食堂」をスタートさせたという。そのような近藤氏の子ども食堂の取り組みを、東京都豊島区の子ども支援をしていた「豊島子どもWAKUWAKUネットワーク」栗林知絵子氏が取り入れ、瞬く間に全国に広がっていった。

ところで先にも述べたように、子ども食堂は貧困対策としてだけでなく、地域のコミュニティの場として、全国的に広がっている傾向がある。実際に、学生とのフィールド調査で訪問した福岡県にある子ども食堂も、貧困対策を含みながらも「地域のコミュニティの場・居場所づくり」に力を入れた活動を行っていた。季節の食を重視したメニューを考え、絵本の読み聞かせをしたり、また時には宿題を見るなど、大きな家族のように子どもが文化・伝統を継承しながら生活する居心地の良い居場所を作っていた。そしてそれと同時に、それらを支援する活動に参加する様々な年齢層のボランティアの方々にとっても、役割が発揮できる心地よい居場所でもあり、新たな関係性を構築する場にもなっていた。多世代の方が集まることによる共生のインパクトも大きい。

しかし一方で子ども食堂はボランティアのみによる運営団体も多く、比較的容易に始められるものの継続は難しく、組織として脆弱である場合も少なくない。また地域の理解が必ずしも得られているわけでもなく、本当に支援が必要な人に届いているのかなどの評価が実施されていないところも多い。急速な数の増加の一方で課題も様々あると言わざるを得ない状況でもある。社会的インフラとして今後発展していくためにも、基盤整備が必要な大事な時期でもあると言える。

ところで二〇一八年四月、「私達が暮らしている大好きな新宿の町に、『えんがわ』のようなぽかぽか温かい場、『家族』のようにほっとする心地よい関係・・・そんな場や関係性を創っていきたい！」[9]との思いから立ち上げられた家族食堂「えんがわ家族」が誕生した。この企画・運営に、二〇一九年より目白大学社会学部社会情報学科の星玲奈専任講師、廣重剛史准教授が精力的に携わっている。「えんがわ家族」は、高齢化が深刻化している東京都新宿区の戸山ハイツを拠点とした「誰もが自由に参加できる地域交流拠点」型の家族食堂である。戸山ハイツは一九六〇年にできた都営住宅であり、現在も約三千世帯六千人が居住している。新宿区住民基本台帳（二〇一六年八月）によれば高齢化率五三・一％、うち独居世帯は三八％（二〇一〇年国勢調査）に及び、「都心の限界集落」とも称されている。ゆえに「えんがわ家族」は子どもの貧困に主眼をおいたものではないが、地域の子どもたち、および戸山ハイツに住む単身高齢者の孤食という問題に注目して共食の場を設けることにより、食技術や文化の伝承、地域コミュニティの活性化等に寄与することを目的としている。まだまだ始まったばかりの活動で課題も多々あるようだが、地域の問題解決の一助となる、そして社会的インパクトが期待できる活動になる可能性を秘めている。ご興味がある方には、ぜひともご支援・ご参加いただければ幸いである。

## まとめ

以上のように本稿では、「子どもの貧困」という社会的課題を切り口に、「コト」のデザインの事例とその広がりを紹介した。

「おてらおやつクラブ」は、「従来、寺院が地域社会で行ってきた営みを現代的な仕組みとしてデザインし直し（以下、略）」と審査委員による評価コメントの中にあるように、新しいことのようで、実はお寺のあるべき原点に返り、それを現代風にアレンジしたものともいえる。私自身、この取り組み内容を知ったとき、子どものときにお墓参りをすると、お寺のご住職からお菓子をもらえることが楽しみだったことを思い出した。もちろんお寺によっては厳しい修行の場であることもあるが、人々が暮らす町中にあるお寺は本来、人が集まる場でもある。かつてお参りに来た子供たちに配っていたものを、お寺を取り巻く地域社会にひろげ、特に厳しい経済状況の家庭に優先することで、現代社会の中で大きな意義を持つことになった。

それに対して「こども宅食」は、これまで行政があまり得意とはしてこなかった部分を協働によりなしえたものとも言えるだろう。本当に困っている人たちとなかなかつながることが出来ないという、人間の心理・行動をも考慮したうえでの立案には、敬服する。またこども宅配に関わる団体が、どこもプロとしての役割を果たしており、その連携の見事さにも圧倒される。新しい評価・マネジメント手法も積極的に取り組み、第三者を納得させる広報力は、これからの社会デザインには必須であろう。

そして最後の「子ども食堂」は、毎日地道に働く女性から始まった活動である。日々の暮らしの中に、各々が社会ですべきことは隠れている。それを見つける目と、実践できる勇気があれば、だれでも「コト」をデザインする、社会をデザインする可能性を持っている。このことを改めて教えてくれたように思う。

また三つの事例に共通していることは、良い取り組みだと他者が判断した時には、その広がりのスピードが速いこと、そして「子どもの貧困」という視点から始まったデザインだが、食品ロスの改善や高齢者の孤独の改善、地域社会の活性化など、関連する要素が相乗的効果をもたらしていることである。特に人々の心に安心感や安定感が生まれることは、最終的にもっとも大きな「コト」のデザインの効果でもあると感じる。

ソーシャルデザイン系列を擁する本学科（目白大学社会学部社会情報学科）においては、このような社会の変化を捉え、商品や建物・空間のデザインはもちろん、「コト」のデザインにも着目し、学生とともに学んできた。学生が、「コト」のデザインを進められるような素養をしっかりと身に着け、社会の中で、その力をいかんなく発揮できるように、教員としても努力していきたいと改めて思いを強くしている。

注

（1）公益財団法人日本デザイン振興会（二〇一八年一〇月三日）「グッドデザイン賞受賞概要」https://www.g-mark.org/activity/2018/message.html より引用

（2）NHK NEWS WEB（二〇一八年一一月二日）「平成最後のグッドデザイン」https://www3.nhk.or.jp/news/html/20181102/k10011696631000.html より引用

（3）CREATIVE PLATFORM OITA（二〇一九年一月三一日）「デザインの新たな可能性を模索し、発信す

る『公益財団法人 日本デザイン振興会』」http://creativeoita.jp/column/jdp より引用

（4）コンソーシアムとは、共通の目標に向かって資源を蓄える目的で結成される共同事業体。

（5）コレクティブ・インパクトとは、二〇一一年、John Kania と Mark Kramaer が Stanford Social Innovation Review で発表した論文 "Collective Impact" で定義された言葉であり、個別アプローチにするだけでは解決できなかった社会的課題を解決する新たな試みとして発表された。

（6）母子家庭または父子家庭のひとり親の家庭等に対して、子どもと共に安定した生活を送れるよう支給される手当。

（7）小中学生の子どもがいる家庭に対して、子どもの就学にかかる費用（学用品費や学校給食費など）が一部、自治体から支給される制度。

（8）「社会的インパクト」とは、短期、長期の変化を含め、当該事業や活動の結果として生じた社会的、環境的なアウトカムのことであり、「社会的インパクト・マネジメント」とは、事業運営により得られた事業の社会的な効果や価値に関する情報にもとづいた事業改善や意思決定を行い、社会的インパクトの向上を志向するマネジメントのことを指す。（「社会的インパクト・マネジメント・ガイドライン Ver.1」二〇一八年社会的インパクト評価イニシアチブより引用）

（9）えんがわ家族 Facebook（二〇一八年四月九日）https://www.facebook.com/engawakazoku/ より引用

〈参考文献〉


・「無形の取り組みが『グッドデザイン大賞』を受賞。時代は〝志の美しさ〟へ。」『自遊人』二〇一九年二月号、（株）自遊人、pp10-21

・公益財団法人 日本デザイン振興会　グッドデザイン賞公式サイト https://www.g-mark.org/
・ＮＰＯ法人 おてらおやつクラブ　公式サイト https://otera-oyatsu.club/
・こども食宅　公式サイト https://kodomo-takushoku.jp/
・ＮＰＯ法人　全国こども食堂支援センター・むすびえ　公式サイト https://musubie.org/

# 第4章
# 子どもの貧困と食

星　玲奈

近年、「子どもの貧困」が日本の社会的課題として問題視され、平成二六年には「子どもの貧困対策の推進に関する法律」が成立した。[1] 日本は先進国である一方「子どもの貧困」の割合は、先進諸国が主となり国際経済全般について協議することを目的とした国際機関である、経済協力開発機構（OECD）に加盟している他の諸国よりも高いのが現状である。[2] そこで本稿では子どもの貧困格差について、学校給食の視点を中心にまとめていく。

## 一　子どもの貧困

近年、「子どもの貧困」が社会に認識され、社会問題となっている。ここでいう「子ども」とは一七歳以下の者を指し、一七歳以下の者のいる家庭の貧困率は平成二八年の国民生活基礎調査によると一三・九％であった。[3] つまり、日本の一七歳以下の子どもの七人に一人は貧困である。「貧困率」は、国の平均所得の半分以下の家庭に属する者の割合で算出されており、特にひとり親世帯の貧困である割合は五〇・八％であった。政府は、日本の将来を担う子供たちが、生まれ育った環境によって左右されることのないよう、また貧困が世代を超えて連鎖することのないよう、必要な環境整備と教育の機会均等をはかり、子ども貧困対策は極めて重要であるという意義を踏まえ、平成二六年に「子どもの貧困対策の推進に関する法律」を施行している。

では「貧困」とは何だろうか。貧困の定義は複数あるが、代表されるものとして「絶対的貧困」と

「相対的貧困」がある。「絶対的貧困」とは人間として最低限の生存を維持することが困難な状態の貧困である。発展途上国と呼ばれる国がこの絶対的貧困に分類され、例えば乳児死亡率が高い、平均寿命が短い、衛生環境が整っていない、教育を受ける機会が少ないなどの特徴がある。一方で「相対的貧困」とは、その国の文化水準、生活水準と比較して困窮した状態を指し、日本の貧困はこれにあたる。日本は長い間「絶対的貧困」が主であり、特に戦後は住む場所がない、着る物や履く物がない、食糧がないという状態から高度経済成長を経て、先進国の仲間入りをしているという歴史があり、「絶対的貧困」から「相対的貧困」へと変化してきた国である。そのため、靴が買えずに裸足で学校へくる子はいない。しかし、見えない貧困に苦しんでいる子どもは少なくない。そして、親の経済的貧困が、子どもの教育格差や低学力、不安定な就業に結びついている可能性は高く、目に見えない貧困に対する対策が日本では必要とされている。そして、この「子ども」と「食」にも格差が生まれている。

## 二　子どもの食と格差

現在の日本の中で虐待やネグレクトなどを除き、餓死する子どもはほとんどいないだろう。それは、乳幼児期であれば、一歳六か月児健康診査や三歳児健康診査等で自治体が子どもの成長を把握していることや、小学校では養護教諭が児童の成長曲線を把握するというシステムが構築されているからだ。その環境の中で、貧困の家庭とそうでない家庭を比べてみると、食事の量や頻度や質、栄養素の充足率や偏り、孤食や偏食、食事の不規則性に差があるということがわかってきた。つまり、親の経済的状態が、子どもの健康状態や体格に影響を及ぼしている可能性が示唆されている。硲野ら（二〇一七）によると、世帯の経済状態と子どもの食生活にどのような関連があるかを検討した研究の結果、世帯収入が貧困基準以下の世帯の子どもは、それ以外の世帯の子どもに比べて、朝食欠食者が多く、野菜や外食の摂取頻度が低く、魚・肉の加工品、インスタント麺の摂取頻度が高いことが示された。[4]世帯収入別の家庭での野菜の摂取頻度について、「週に三回以下」の者が低収入以外群で一一・六％だったのに対し、低収入群は二一・五％、インスタント麺の摂取頻度について「週に一回以上」の者が低収入以外群一五・九％だったのに対し、低収入群では二六・一％、外食の摂取頻度も「月一回未満」の者が低収入群以外で一四・三％であったのに対し、低収入群は二二・八％でいずれも有意な差がみられたと報告した。また、インスタント麺（カップ麺、即席めん含む）は日本即席食品工業協会が行った意識調査によると、インスタント麺の良さに「価格が手ごろ」「保存がきく」「手軽で便利」「調理時間が短い」を挙げている人が多い。[5]そのため親の不在時や個食の場合、子どもが自分で作って食べられる手軽さがある。欧米の先行研究において、食格差の原因として野菜や果物、肉・魚介・卵といった栄養価が高い食物の価格が高く、脂肪や砂糖が多い食事は安価であることが指摘されている。[6]また、食物の購買行動に関する研究では、低収入の世帯は購入時に食物の価格を気にして、安価な食べ物を購入することが明らかになっている。[7]日本の成人の場合も、低収入の人は、安価で栄養価の低い食物を摂取しているとの研究報告もある。[8]子どもの貧困と肥満に関して関連を指摘している研究もあるため、このような背景が関連しているかもしれない[9]。また、『「なんとかする」子どもの貧困』の著者である湯浅誠は、夏休み明けに痩せてくる子どもがいることを著書の中で指摘している[10]。なぜ夏休みに子どもが痩せてしまうのかというと、それは長期休暇時に学校給食がないからである。学校給食は小学生で年平均一九一回、中学校で年平均一八六回実施されている[11]。そのため一日の食事の一／三回、年間の食事の一／六を占めているといわれており、子どもの食の大部分を占めている。子ども達にとって、学校給食はポピュレーション対策の一つであるといえる。その学校給食の役割や歴史的変遷を次に記す。

## 三　学校給食の役割（ポピュレーション対策）と歴史的変遷

学校給食は、学校給食法によって定められており、義務教育諸学校における教育の目的を実現するために、七つの目標によって構成されている[12]。学校給食は「教育の一環」として位置付けられており、食に関する知識を習得し、栄養バランスのよい模範となる給食を毎日喫食することができるため、「生きた教材」とよばれている。下記に学校給食の目標を記す。

**【学校給食の目標】**

(1)　適切な栄養の摂取による健康の保持増進を図ること。

(2)　日常生活における食事について正しい理解を深め、健全な食生活を営むことができる判断力を培い、及び望ましい食習慣を養うこと。
(3) 学校生活を豊かにし、明るい社交性及び協同の精神を養うこと。
(4) 食生活が自然の恩恵の上に成り立つものであることについての理解を深め、生命及び自然を尊重する精神並びに環境の保全に寄与する態度を養うこと。
(5) 食生活が食にかかわる人々の様々な活動に支えられていることについての理解を深め、勤労を重んずる態度を養うこと。
(6) 我が国や各地域の優れた伝統的な食文化についての理解を深めること。
(7) 食料の生産、流通及び消費について、正しい理解に導くこと。

【学校給食の歴史】

学校給食の始まりは一八八九（明治二二）年山形県鶴岡町（現・鶴岡市）の忠愛小学校で貧困児童を対象に無償で行われたのが発祥であるといわれている。[13]資料によると当時は経済的に恵まれない欠食児童におにぎりと塩鮭、漬物などを振舞ったことが記録されており、学校給食発祥の地として鶴岡市には記念碑が建てられている。大正時代に入り、東京府は私立栄養研究所佐伯所長の援助を受け、東京府直轄の小学校にパンによる学校給食を開始したり、「小学校児童の衛生に関する件」が政府から通達されたことによって、児童の栄養改善のための方法としての学校給食が奨励され、学校給食の栄養面が考慮されるようになる。昭和に入り、都市部から徐々に給食が地方にも広まったが、当時は市町村や自治体によってその運営方法が異なり、提供される給食も費用も、現在のような全国平等という形ではなかった。昭和七年には文部省（現・文部科学省）によって「学校給食臨時施設方法」により、弁当を持たないで学校へ来る欠食児童対策のために、小学校の学校給食に初めて国庫補助が行われることになるが、当時は凶作や世界恐慌下の貧困による欠食児童は全国に増加して社会問題になっていた。昭和一五年には「学校給食奨励規程」により、対象を貧困児童のほか栄養不良児、身体虚弱児にも広げ、栄養的な学校給食の実施へ、内容の充実が図られる。その後、様々な戦争が勃発し、軍国主義の風潮が広まる中で、世界と比べて体格に恵まれなかった日本は、「国民の体力向上」を最優先事項とし、学校給食が強化された。第二次世界大戦中に学校給食は一時中断となったが、戦後に復活し、ララ物資等を受けて、日本の学校給食は復活した。昭和二九年には「学校給食法」が制定され、全国で学校給食が整備されはじめる。昭和三一年には夜間高等学校への学校給食に関する法律の公布、昭和三二年には盲学校、ろう学校及び養護学校の幼稚部及び高等部における学校給食に関する法律の公布があり、義務教育諸学校で学校給食が提供される形となっていった。戦後から継続していた脱脂粉乳は、昭和三三年から牛乳が提供されるようになり且つ、「学習指導要領」が改訂されたことにより、学校給食が初めて学校行事等の領域に位置付けられることとなる。平成に入る頃になると栄養改善法は健康増進法に、成人病は生活習慣病へと名称を変えるまで国民の栄養状態は変化していった。学校給食も同様に、「量」よりも「質」を重視し、適正なエネルギー摂取の方法や食習慣、食事のマナーなど、生涯健康で文化的に生きていくのに必要な食生活についての知識を教えたり、子どもたちに楽しく給食を食べもらうために見た目や味に工夫を施し、また、ねらいである正しい知識を得られるように取り組むような指導内容となってきた。このような経緯をたどり、全国に整備された学校給食は、子どもの食格差において、よりよいポピュレーションアプローチとなったのである。その学校給食の財源に、保護者から徴収する給食費がある。

**【子どもの貧困と給食費】**

子ども達の成長に大いに貢献している学校給食の財源は、食材費のみ保護者から徴収し、その他の費用は市町村が負担をするという形をおおよその自治体がとっており、保護者の負担額は小学生であれば一食当たり二五〇円前後、中学生でも二九〇円前後である。[14] 文部科学省が行った「平成二八年度の学校給食費の徴収状況に関する調査」によると給食費の徴収方法は①銀行引き落とし②手集金③その他があり、①銀行から引き落としにて給食費を徴収している割合は八六・五%であった。その一方で全国の学校や自治体で、給食費が納められない家庭への対応も社会の問題となっている。[15]

給食費は直接食材費に充てられる。したがって、未納の家庭が増加すれば食材費に影響がでるため、栄養面を工面するのが難しくなったり、使用食材に制限をかけなくてはならない。また消費税の増税や不作、放射能問題、中国産製品の回避等、様々な問題が学校給食を運営する上で課題となっているのだ。給食費は「公会計」と「私会計」に分けられ、「公会計」は自治体の教育委員会が管理することを指し、未納時の督促や未納分が出た場合は自治体が負担するシステムである。一方「私会計」は学校ごとに校長名で口座を作り、督促は校長をはじめとする教諭が行い、未納分の補填はない。現在の日本の給食費の徴収・管理は公会計：私会計＝四：六の割合であり、未納の家庭が多いところの学校では、食材購入に影響が出るため、他の児童・生徒や栄養価に影響が出ることとなる。[15] また千葉県市川市では二〇〇八年より小学校入学の際に、未納をしないことの誓約書を書かせる等、学校側の対応に追われている。[16] 二〇一五年には埼玉県北本市の公立小中学校で給食費を三カ月滞納してしまった際には、給食を提供しないという通知を保護者にしたことが世間を賑わせた。[17]

その一方で給食費を無償にした自治体も存在する。文部科学省が調査を行った、「平成二九年度の学校給食費の無償化等の実施状況及び完全給食の実施状況の調査結果」によると、全国の都道府県教育委員会を市区町村教育委員会（一七四〇自治体）に対し、平成二九年度の学校給食費（食材費）の無償化等の実施状況及び完全給食の実施状況を調査した結果、小学校・中学校とも無償化を実施している自治体数は七六（全体の四・四％）、小学校のみ・中学校のみ無償化としている自治体は六（全体の〇・三％）の計八二（全体の四・七％）の自治体で完全無償化が行われている。[18] これらの自治体が無償化を開始した目的の例として、食育の推進や人材育成、保護者の経済的負担の軽減、子育て支援（児童・生徒がいる家庭の支援）、少子化対策、定住・転入の促進、地域創生（子どもや人口の増加を期待した支援）がある。そのことを裏付けるかのように、無償化を実施している自治体の特徴として、七六自治体のうち、「市」である自治体は五／七六（六・六％）自治体であり、残りの五六／七六（七三・七％）は人口一万人未満の町村であることが挙げられる。また、完全無償ではないにせよ、第二子以降は給食費無償の自治体や給食費または食材費の一部を補助している自治体もある。なかには、ひとり親家庭の児童は無償の自治体もあるようだ。その一方で、完全給食を実施していない自治体（補食給食、ミルク給食、業者弁当、家庭弁当）は一三二自治体（全体の七・六％）ある。もちろん給食施設の提供能力や経費、人材の問題はあるものの、成長期である子ども達に栄養バランスよい食事の摂取や残食を減らす意識の向上や親子で食育について話し合う機会の増加、教育への関心の増加等、学校給食が食育に寄与している割合は大きい。

【学校給食がどのくらい子ども達の生活に寄与しているのか】

次に示すのは、学校給食がどれくらい子ども達に貢献しているのかを示した研究である。坂井ら（二〇一七）は、児童の平日と休日の昼食摂取状況や栄養素・エネルギー別摂取量の比較検討を行った。その結果、児童が摂取する平日と休日の昼食の内容を比較すると、栄養学的にみて休日の昼食は多くの栄養素で不足傾向にあるうえ、塩分や肉類、甘い食品等については過剰に摂取されており、栄養バランスから見ても食材のバラエティからみても、平日に比べ悪い状態にあることがわかった[19]。これらを踏まえて坂井らは、学校給食が栄養バランスのとれた食事を多くの児童に公平に提供する場となっていることも示唆している。一方、この研究は世帯収入別での栄養素・エネルギー摂取量の検討は行っていないため、世帯収入別で検討した際にはなおその差が大きくなる可能性が予測できる。学校給食の中には、子どもにとってチャレンジな献立もあるが、栄養バランスや食材のバラエティ、安全性等を加味すると、身体的・精神的に大きな成長を遂げる子ども達に対して大いに貢献している。

また、村山ら（二〇一七）は、学校給食のある日（平日）とない日（休日）で、児童の食格差の大きさが異なることを明らかにした[20]。学校給食がない日は、世帯収入の少ない児童は中間層の児童に比べて摂取量が少ないため差が出てしまうが、給食がある日は世帯収入による食物や栄養素の摂取量に差が少ないことを示している。すなわち学校給食がない日は、世帯収入によりたんぱく質、ビタミン、ミネラルの摂取量に大きな差がみられたが、学校給食がある日はそれらの差がみられないことが明らかとなり、学校給食が食格差を縮小させることを示した。また新井ら（二〇一七）の研究では、平日と休日を合わせた四日間の栄養素摂取量に対する学校給食の寄与率を見たところ、世帯収入が低い児童の方が学校給食に依存している割合が高かった[21]。世帯収入が低い児童に対して学校給食は一種の生命線のようなものである。今後、食の格差是正のためにも、全国の小中学校に完全給食が普及することに期待したい。

## 四　子どもの食とその後

最後に、子ども達の「食」が子どもたちの生活にその後どのくらい影響するかを検討した研究報告を示したい。須藤（二〇〇五）の報告によると、青少年暴力と食生活との関連の中に、朝食の欠食や孤食、鉄やカルシウムの摂取不足、生活リズム等の食生活因子があることが示された[22]。特に鉄やカルシウムは意識的に摂取しないと推奨量を充足することができない。また、昔から鉄の栄養状態と認知力や行動との関連について、特に幼児や学童を対象とした多くの研究がなされてきたが、複数の縦横研究から、幼児期の鉄の摂取不足は、認知力の低下をもたらすだけでなく、学童期の認知力や学業成績にも影響するという一致した見解が得られている。カルシウムの摂取不足も同様であるが、特に体内カルシウム不足の原因は、摂取量の不足だけではなく、加工食品の多用とそれに添加されているリンの摂取増加が関連している。生体内のカルシウムの大部分は骨に存在し、骨はカルシウムの貯蔵庫となっているが、リンの過剰摂取は尿中へのカルシウム排泄を高め、骨塩量を低下させてしまうため、加工食品の多用は避ける必要があるとのことだ。また、青少年の食生活上の問題として指摘されているのが、子どもが一人で食事をとる孤食である。加藤ら（二〇一四）は小学生の生活習慣と心の健康との因果構造の検討をおこなっている[23]。その結果、生活習慣にかかわる四つの変数（清潔／整頓、孤食、不眠感、就寝時刻遅延）と心の健康にかかわる変数（家族／友人関係、体調／疲労感、いらいら感、不安感）のいずれかに直接的あるいは間接的に影響を与えていたことが示された。

以上のことから、子どもの頃の「食」は生涯にわたり影響することは明白だろう。現在、「子ども食堂」や「地域食堂」などの「誰もが自由に参加できる地域交流拠点」としての活動が全国に広がっている。是非今後もこのような活動が継続していき、子どもの「孤食」が減っていくことに期待したい。

## さいごに

今回本稿では、子どもの貧困と食格差における影響についてまとめてきた。現在新宿区戸山地区にて「えんがわ家族食堂」という多世代交流を主とした地域食堂に携わらせていただいている。家庭の環境にはそれぞれ事情があるが、願うのは子ども達が正しい食知識・食習慣を身に付けて大人になっていくことである。これらの事実を踏まえ今後も様々な形で、将来大人になって社会を支えていく人材に対し、正しい食環境の支援をしていきたいと思う。

参考文献
（1）内閣府「子どもの貧困対策の推進に関する法律」https://www8.cao.go.jp/kodomonohinkon/pdf/taikou.pdf（最終閲覧日：二〇一九年九月三〇日）
（2）内閣府「平成二六年版子ども・若者白書」https://www8.cao.go.jp/youth/whitepaper/h26honpen/b1_03_03.html（最終閲覧日：二〇一九年九月三〇日）
（3）厚生労働省「平成二八年国民生活基礎調査結果の概要」https://www.mhlw.go.jp/toukei/saikin/hw/k-tyosa/k-tyosa16/index.html（最終閲覧日：二〇一九年九月三〇日）
（4）硲野佐也香、中西明美、野木みほ、石田裕美、山本妙子、阿部彩、村山伸子（二〇一七）「世帯の経済状態と子どもの食生活との関連に関する研究」『栄養学雑誌』七五（一）、一九－二八頁。

（5）一般社団法人　日本即席食品工業協会、即席めんの摂取・購入状況および意識調査
https://www.instantramen.or.jp/wp-content/themes/ramen_navi/assets/files/intake_purchase_situation/chosa_h14.pdf#search='%E6%97%A5%E6%9C%AC%E5%8D%B3%E5%B8%AD%E9%A3%9F%E5%93%81%E5%B7%A5%E6%A5%AD%E5%8D%94%E4%BC%9A%EF%BC%9A%E5%8D%B3%E5%B8%AD%E3%82%81%E3%82%93%E3%81%AE%E6%91%82%E5%8F%96%E3%83%BB%E8%B3%BC%E5%85%A5%E7%8A%B6%E6%B3%81%E3%81%8A%E3%82%88%E3%81%B3%E6%84%8F%E8%AD%98%E8%AA%BF%E6%9F%BB'（最終閲覧日：二〇一九年九月三〇日）

（6）Drewnowski A1, Specter SE. Poverty and obesity: the role of energy density and energy costs. Am J Clin Nutr.2004 Jan;79(1):6-16.

（7）Turrell G1, Kavanagh AM. Socio-economic pathways to diet: modelling the association between socio-economic position and food purchasing behaviour. Public Health Nutr. 2006 May;9(3):375-83.

（8）Okubo H et al. Monetary value of self-reported diets and associations with sociodemographic characteristics and dietary intake among Japanese adults: analysis of nationally representative surveys. Public Health Nutrition. 2016,19: 3306-3318.

（9）Kachi Y, Otsuka T. Socioeconomic Status and Overweight: A Population-Based Cross-Sectional Study of Japanese Children and Adolescents.J Epidemiol.2015 25(7):463-469.

（10）湯浅誠（二〇一七）『「なんとかする」子どもの貧困』（角川新書）

（11）文部科学省「平成三〇年度学校給食実施状況等調査の結果について」http://www.mext.go.jp/b_menu/toukei/chousa05/kyuushoku/kekka/k_detail/__icsFiles/afieldfile/2019/08/19/1413836_001_001.pdf（最終閲覧

日：二〇一九年）文部科学省「学校給食法」（平成二〇年六月一八日法律第七三号）

（12）文部科学省「学校給食法」（平成二〇年六月一八日法律第七三号）

（13）全国学校給食会連合会ホームページ「学校給食の歴史」https://www.zenkyuren.jp/lunch/（最終閲覧日：二〇一九年九月三〇日）

（14）文部科学省「平成三〇年度学校給食実施状況等調査の結果について」http://www.mext.go.jp/b_menu/toukei/chousa05/kyuushoku/kekka/k_detail/__icsFiles/afieldfile/2019/08/19/1413836_001_001.pdf（最終閲覧日：二〇一九年）

（15）文部科学省「平成二八年度の学校給食費の徴収状況に関する調査の結果について」http://www.mext.go.jp/b_menu/houdou/30/07/__icsFiles/afieldfile/2018/07/27/1407564_001_1.pdf（最終閲覧日：二〇一九年九月三〇日）

（16）藤沢宏樹（二〇〇八）「学校給食費未納問題の現状と課題」（『大阪経大論集』）、五九（二）、一九九－二〇四頁。

（17）『朝日新聞』（二〇一五年七月五日）https://www.asahi.com/articles/ASH714SFLH71UTNB00P.html（最終閲覧日：二〇一九年九月三〇日）

（18）文部科学省「平成二九年度の「学校給食費の無償化等の実施状況」及び「完全給食の実施状況」の調査結果について」http://www.mext.go.jp/b_menu/houdou/30/07/__icsFiles/afieldfile/2018/07/27/1407564_001_1.pdf（最終閲覧日：二〇一九年九月三〇日）

（19）坂井美咲、大江靖雄、石田貴士、櫻井清一（二〇一七）「児童の平日と休日の昼食摂取状況に関する比較分析―児童の食生活における学校給食の影響評価―」（『食と緑の科学』）七一、一七－二七頁。

（20）Murayama N, Ishida H, Yamamoto T, Hazano S, Nakanishi A, Arai Y, Nozue M, Yoshioka Y, Saito S, Abe A Household income is associated with food and nutrient intake in Japanese schoolchildren, especially on days without school lunch. Public Health Nutr.2017,Nov;20(16):2946-2958.

（21）新井祐末、石田裕美、中西明美、野木みほ、阿部彩、山本妙子、村山伸子（二〇一七）「世帯収入別の児童の栄養素等摂取量に対する学校給食の寄与」（『日本栄養・食糧学会誌』）七〇（四）、一三九－一四六頁。

（22）Sudo N(2005) Dietary Factors Related to Violent Delinquency in Adolescence,J. Natl. Inst. Public Health 54(2),108-112.

（23）加藤和代、大平曜子、國土将平（二〇一四）「小学生の生活習慣と心の健康との因果構造」（『発育発達研究』）（六三）六一－一七頁。

# 第5章

# 矢祭町への農業体験研修について

星　玲奈・松岡　陽

みなさんは自分たちが普段食べている食材の生産者に会ったことはあるだろうか？　その食材を誰が・どのような思いを込めて作っているかを直接尋ねたことがない人もいるだろう。二〇一九年の夏に学生たちと「福島県東白川郡矢祭町（やまつりまち）」を訪れ農業体験研修を行った。今回は矢祭町のＰＲも兼ねて、本稿に一．矢祭町農業体験研修の目的や行程、二．矢祭町について、三．矢祭町の取り組み魅力、四．農業体験研修の様子、五．農業体験研修の成果について記したい。

## はじめに

我が国の総人口は、平成三〇（二〇一八）年一〇月一日現在、一億二、六四四万人、六五歳以上人口は、三、五五八万人となり、総人口に占める割合（高齢化率）も二八・一％となった[1]。六五歳以上人口は、「団塊の世代」が六五歳以上となった平成二七（二〇一五）年に三、三八七万人となり、かつその世代が七五歳以上となる令和七（二〇二五）年には三、六七七万人に達すると見込まれている[2]。その後、令和二四（二〇四二）年に三、九三五万人でピークを迎え、総人口が減少する中で六五歳以上の者が増加することにより高齢化率は上昇を続け、令和一八（二〇三六）年には三三・三％と三人に一人が高齢者となるようだ。令和二四（二〇四二）年以降は六五歳以上人口が減少に転じても高齢化率は上昇を続け、令和四七（二〇六五）年には三八・四％に達して、国民の約二・六人一人が六五歳以上の者となる社会が到来すると推計されている[3]。

福島県の総人口は平成三〇年（二〇一八年）現在で一八六万四千人、六五歳以上人口は五七万六千人、高齢化率は三〇・九％と高い[4]。その背景としては、二〇一一年の東日本大震災・原子力災害の影響により約四万人の大幅な人口減少があり、雇用の場の不足や地域間経済格差等によって、主に若い世代を中心とした人口の東京圏への一極集中が加速しており、現在も減少が続いている。私たちが農業体験研修を行った福島県矢祭町の住民も、人口五七四〇人二〇八七世帯（二〇一九年七月時点）で高齢化率は三六％である[5]。高校や大学への進学・就職で矢祭町を離れる若者が多いことや、町の過疎化を食い止めるために、結婚時や出産時に町からお祝い金を支出するなどの施策をとっている矢祭町へ、四泊五日の農業体験研修へ行ってきた。

## 一　矢祭町農業体験研修の目的や行程

二〇一九年八月二六日（月）から三〇日（金）の四泊五日、学生五名と教員二名で農業体験研修を行い、様々な経験をした。

四泊五日の行程内容は右記【表二】に示す。

まず、今回の矢祭町農業体験での大きなテーマは、①食料供給地である農村に宿泊し、農作業・食品加工体験等を通して、農業の現状に理解を深めること②体験型農業などの新たな取り組みや、地元食材を用いた郷土料理作りの実践を通じて、農業や農産物を新たな視点から見つめなおすこと③学生の視点

【表1】

| 日時 | 行程　内容 |
| --- | --- |
| 8/26（月） | JR 水戸駅集合→矢祭町役場→商工会・特産品開発協議会・挨拶→もったいない図書館・見学→太郎の四季・見学→矢祭町保健福祉センター・見学→清流の里・農泊体験・講話→来る里の杜・講話→有限会社甚右衛門・歓迎会→舘山ランド（宿泊） |
| 8/27（火） | 舘山ランド出発→ FUJITA 農園・農業体験→舘山ランド（昼休憩）→児童クラブ（絵本の読み聞かせ等、運営補助）→矢祭山散策→舘山ランド（宿泊） |
| 8/28（水） | 舘山ランド出発→日渡きのこ園・実習→舘山ランド（昼休憩）→矢祭南ゆず生産組合・草刈り→塙町道の駅・見学→矢祭町まちの駅・講話→舘山ランド（宿泊） |
| 8/29（木） | 舘山ランド出発→甚右衛門・ひょうたん収穫→舘山ランド（昼休憩）→でんぱた・ブルーベリージャム作り体験→舘山ランド（宿泊） |
| 8/30（金） | 舘山ランド内にて　農泊保木山　そば打ち体験→お別れ会（舘山ランド内）→商工会・特産品開発協議会・御礼の挨拶→水戸駅→帰宅 |

から見ることで、矢祭町の農業の新たな強みを発掘するとともに、特産品等の開発につなげることである。全ての企画は、矢祭町役場事業課産業グループの方々が企画してくださった。今年の農業体験研修のメインテーマは、農業作業体験、食品加工体験等を行い、矢祭町の受け入れ農家や地元の方々との交流を図りながら、農業の現状に理解を深めることである。

農業体験研修と本稿では記しているが、農業体験を含む「農泊」は大分県宇佐市安心院町のグリーンツーリズムが発祥とされ[6]、全国に広がりを見せている。まずは「農泊」について説明する。

農林水産省が推進している「農山漁村滞在型旅行（農泊）」は、都市と農山漁村の共生・対流と都市と農山漁村を行きかう新たなライフスタイルを広め、都市を農山漁村それぞれに住む人々がお互いの地域の魅力を分かち合い、「人・もの・情報」の行き来を活発にする取り組みである[7]。

農泊に取り組む目的は、農山漁村の所得向上を実現する上で、インバウンド（外国人が訪れてくれる旅行のこと、訪日旅行）を含む観光客を農山漁村にも呼び込み、活性化を図ることが目的である。これらのことを実現するためには、地域一丸となって、農山漁村滞在型旅行をビジネスとして実施できる体制を整備し、今後も持続可能性のある農泊を産業にしていく必要がある。これまで過疎地域や限界集落は様々な問題を抱えていた。例えば、観光客が来ない、空き家の増加、高齢化、情報の発信不足、専従職員が雇えない、協力農家の減少等である。しかし、この農泊の取り組みをすることで、インバウンドの増加、地域の所得の向上、農家所得の向上、遊休資源の利活用（空き家を宿泊施設へ改築、耕作放棄地を減少させるなど）、移住者の増加（若者の移住と地域の活性化）、観光客の増加等の改善が期待できる。

農泊を行うにあたり、国内外の観光客を農山漁村に呼び込んで活性化を図っていくには、観光客のニーズを把握し、それをビジネスとして実施する必要がある。そのためには、①外部の目線によるコンテンツの磨き上げや②裾野が広い農泊の取り組みを行うための地域が一丸となった推進が必要である。①外部の目線によるコンテンツの磨き上げとは、地元目線ではなく、観光客のニーズに応じてビジネスとして観光資源を磨くためには、外部の目線が必要不可欠であるとしている。ここでいるターゲットは、個人旅行、教育（団体）旅行、国内旅行者、インバウンド、富裕層、バックパッカー、アジア、欧米観光客等がターゲットである。今回農業体験研修を行った本学生も、学生の視点で矢祭町を見て欲しいという点が、町役場からの取り組み目的の一つであった。また、②裾野が広い農泊の取り組みに関連する

【出典：矢祭町 HP】

業種は、交通業、宿泊業、旅行業、小売業（土産）、飲食業、農林水産業、サービス業、情報通信業、金融業（保険業）であり、農泊を行うことによってより地域が活性化する可能性がある。

## 二　矢祭町について

矢祭町は福島県の最南端に位置し、且つ東北の最南端のため「東北の勝手口」と呼ばれている。矢祭町までは水戸から車で一時間三〇分程度、東北新幹線の那須塩原駅までも車で一時間程度かかるため、田舎らしいのどかな田園風景を楽しむことができる。そんな矢祭町にはマスコットキャラクターの「やまっぴー」が存在する。矢祭町のイメージアップ、PRのため起用されている「やまっぴー」について紹介する。(8)

やまっぴーは二〇一五年に誕生した矢祭町のイメージキャラクターであり、ユズの木の妖精である。やまっぴーのファッションには矢祭町らしさがちりばめられている。例えば、やまっぴーは頭にユズの帽子を被っており、帽子は矢祭町の花「つつじ」と福島県の天然記念物「戸津辺の桜」がついているデザインになっている。また肩には鮎のポシェットをかけており、ポシェットのラインは久慈川をイメージしたものになっている。好きな食べ物も矢祭町の特産品の、鮎の塩焼き、いちご、矢祭山のおだんご、ユズシャーベットであり、趣味は滝川渓谷ハイキング、矢祭山でキャンプ、いちご狩り、鮎の放流である。このイメージキャラクターであるやまっぴーは矢祭町の様々な場所に出没し、近年では来年に控えた東京オリンピックを控え、聖火を持っているマスコットもある。

また、矢祭町は平成一三年一〇月に「市町村合併をしない矢祭町宣言」を行い、自立した町作りに向けた「行財政改革」を実施している。そんな自立した町づくりに取り組んでいる矢祭町の事業の中から今回、実際にお話を聞くことができた「商工会・特産品開発協議会」「もったいない図書館」「保健福祉センター」「地域おこし協力隊」の取り組みの一部や魅力についてご紹介する。

## 三　矢祭町の取り組み・魅力

### 【商工会・特産品開発協議会】

商工会・特産品開発協議会は、「もったいない市場」という取り組みを行っている。「もったいない市場」とは、「形が不揃い」なものや「出荷量としてまとまらないもの」などの、流通に乗せてもらえない、新鮮で美味しい野菜を定期的に「もったいない市場」として出張直売所にて販売するという取り組みである。もったいない市場は、美味しいのに地元に残ってしまう野菜があるのは『もったいない』という理由で、農家が自分たちで自らはじめた活動である。そのため、安く、味の良い野菜を提供できることを強みにしているこのもったいない市場は矢祭町だけではなく、一週間に一回以上首都圏でも開催を行っている。

【もったいない図書館】

もったいない図書館は、平成一九年度に開館した図書館で、以前は矢祭町に図書館がなかったが、当時の武道館を地域開放型交流施設としてリノベーションした建造物である。「もったいない図書館」という名前は、当時図書館を開館するにも、新たな図書を購入することが難しかったため、毎日新聞社の当時の支局長から「もったいない運動」のキャンペーンの一環として町への図書寄贈が提案され、記事としても掲載されたことで、全国から四〇万冊を超える図書の寄贈へと繋がり、本の購入費ゼロでの図書館開館を実現したことからこの名前が付いた。また、平成二二年から手作り絵本コンクールが開催され、現在では全国から手作り絵本が届き、全国的にも知名度のある図書館となっている。今回もったいない図書館の視察が、月曜日となってしまったが、教育委員会の方にもったいない図書館についての説明を受けた後、学生たちは自分が昔読んでいた絵本や、全国から届けられた絵本コンクールの入賞作品等を手に取り、懐かしんだ。本学科の宮田学教授が現在、読み聞かせ支援講習会や、第11回「手づくり絵本コンクール」の第一次審査委員、やまつりえほんフェスタの記念トークのゲストとして出席するなどもったいない図書館にて活躍している。

【保健福祉センター】

矢祭町では平成三〇年度から、旧矢祭町石井小学校の校舎をリノベーションし、保健福祉センターとして活用している。これは、矢祭町が年々、高齢独居者や高齢者のみの世帯、認知症者数、要介護者数の増加によって、様々な問題が生じてきたことから、これらの問題に総合的に対応し、保健福祉サービスを効果的・効率的に提供していくために、リノベーションしたもので、小学校のグラウンドだったところには、軽費老人ホームが建設されていた。また、保健福祉センター内には、以前は山村開発センターに勤務していた保健師や福祉グループ高齢者担当を配置し、社会福祉協議会及び地域包括支援センター等が施設内に配置されていた。これにより解決が難しい諸問題を、保健師やケアマネージャーなど各種有資格職が協力することで、相談から支援、早期解決までのスピードアップを図り、ワンストップでの体制を確立できるようになったとのことだ。さらに、各組織で情報共有を行うことにより、判断基準や支援体制を効率的にし、包括的な支援体制が可能となった。

また、町民の健康増進を図るための、センター内にはトレーニングルームや栄養教室を開催する調理室なども整備し、子育て支援事業のカンガルークラブを行うキッズルームが設置されていた。この施設は子どもから高齢者まで幅広い世代の健康づくり拠点となっている。

【地域おこし協力隊】

「地域おこし協力隊」とはその名前の通りであるが、総務省が過疎化や人口減少など地方が抱える課題解決のために、地方は都市圏から人材を受け入れて行う「地域協力活動」の積極的な推進を図っている[9]。この活動を行うために自治体から委託を受けた人が「地域おこし協力隊員」となり、隊員は、地域に住み、地域ブランドや地場産品の開発・販売・PR等の地域おこしの支援、農林水産業への従事、住

【表2】

| 受入農家等 | 主な内容 |
|---|---|
| FUJITA 農園 | 花きの栽培管理 |
| 日渡きのこ園 | 菌床しいたけの管理 |
| 有限会社甚右衛門 | トマトの栽培管理 |
| 矢祭ゆず生産組合 | ゆず園場管理（雨天中止） |
| 有限会社でんぱた | 農産物加工 |
| 農家民泊保木山 | そば打ち体験 |

民の生活支援など地域協力活動などを行いながら、地域への定住・定着を図るものである。現在矢祭町には3名の地域おこし協力隊の方々がおり、全員が地方から矢祭町に来ていることで、「まちの駅」を拠点として日々矢祭町のために活動している。今回は一時間ほど「まちの駅」にて、矢祭町の魅力や課題、今後地域おこし協力隊として活性化していきたいことなどのお話を伺うことができ、矢祭町を違う角度から見ることのできた良い機会となった。

## 四　農業体験研修の様子

今回の農業体験研修では、六つの農家さんに受け入れていただいた。そのうち天候不良で作業のできなかった矢祭南ゆず生産組合さんを除く、五つの農家さんについて紹介する。

花きの栽培のFUJITA農園さんでは、これらのポインセチアの手入れ体験をさせていただいた。作業内容としては、等間隔に並べられたポインセチアの枯草を一つ一つピンセットで除去していく作業であった。これらのポインセチアはクリスマスに代表される花であるが、大

日渡きのこ園

【出典：執筆者撮影】

FUJITA 農園

【出典：執筆者撮影】

体五月頃から栽培と手入れを行っていき、一〇月下旬から一一月上旬の出荷を目指すというお話を聞き、クリスマス時期に一番活躍する花を何か月も前から手塩にかけて作業されていることに学生ともども感銘を受けた。

日渡きのこ園さんで栽培するしいたけは、菌床の上部（上面）だけにしいたけを発生させる「上面栽培」と呼ばれる方法で、上面に養分を集中させることで軸がまっすぐ太く、大きい良質なしいたけを作る方法である。これを日渡きのこ園さんでは、通常一kgのきのこを栽培できるところを、少し少ない七〇〇gに抑え、より厚みのあるしいたけのみを商品として出荷しているそうだ。そんな大きく厚みのあるジューシーな日渡きのこ園さんでの体験は、菌床の袋にゴムをかけてビニールをめくるバンドかけ作業をさせていただいた。一つ一つの菌床にバンドをかけていく作業は、作業に慣れるまでに大変時間がかかり、一つ作業するにも袋が破れすぎてしまうと菌床が使えなくなってしまうなど、コツが必要な作業であった。作業をしながら日渡きのこ園の経営者である尾亦さんに、この仕事の大変なところはどこかを尋ねたところ、二つあると教えていただいた。一つ目は、きのこは成長

有限会社甚右衛門
【出典：執筆者撮影】

を待ってくれないため、朝晩二回の収穫を行わないといけず、休みがないこと、そして菌を扱っている時期は、菌の関係で納豆を食べることができないことだそうだ。その一方で、きのこ農家をやっていて嬉しかったことの一つに、消費者からの「おいしい」というお声をいただくことであると教えていただいた。現に初日の歓迎会の際に、バーベキューで提供された焼きしいたけは大変おいしく、「これまではしいたけが食べられなかったが、このしいたけなら食べられる」と言っていた学生もいた。最終日のお別れ会の際にも、日渡きのこ園で栽培されたきのこを天ぷらにして食すことができた。その際食したきのこは、日々大変な作業をされていることを体験した後だったので、一段とおいしく感じられた。是非矢祭町に来る際は、味わっていただきたい食材の一つである。

有限会社甚右衛門は、特定農業法人　有限会社甚右衛門は高信甚一郎さん、祐介さんのご兄弟が平成一三年に立ち上げられた会社である。ミニトマトを始めとした様々な野菜を栽培・収穫しており、特に力を入れていることは土づくりであることを教えていただいた。農業体験研修初日に甚右衛門さんの敷地の中で、歓迎会をしていただいたが、敷地内のバーベキュースペースには、本格ピザ窯があり、採れたてのトマトやバジルを乗せた焼き立てのピザを振舞ってくださった。また、特にトマトには強いこだわりを持たれており、「アイコ」という品種のトマトは、大変甘く、これまでに食べたことがないくらい美味であった。

主な甚右衛門さんでの農業体験は、「ひょうたん」の収穫であった。「ひょうたんは食べられるでしょうか?」という甚一郎さんの問いに、学生含めて迷っていると、甚一郎さんがひょうたんを少し切って、その汁を味見させてくださった。ひょうたんが苦くて食べれたものじゃない!! ということを知ったのは、少し汁をなめた後のことで、これもまた農業体験でしか体験できない瞬間であると感じた。その後、ひょうたんをどのように加工するのかや、ひょうたんの単価等の説明を聞き、収穫作業に入った。ひょうたんは一つ一つとても重く、またぶら下がっているため、頭に当たるととても痛い。また、ひょうたんを一輪車に載せて運ぶのであるが、これもまた上手く操作することができず、四苦八苦しながら作業を行っていたが、学生からはこんな重くて大変な作業を毎年されているなんて頭が下がるなど、農業をしてくださる方々に対しての尊敬の念も聞くことができた。

作業が少し早く終わり、甚一郎さんからトマト農園に案内していただいた。数十種類もあるトマトのアーチを見学させていただき、品種や味の違い、市場価値などを説明していただきながら、トマトをとって試食させていただいた。様々な種類のトマトを一度に味わったことがなかったため、品種ごとの味の違いを感じることができた良い経験となった。

ブルーベリージャム作りは、有限会社でんぱたの代表である鈴木正美さんから説明を受け、一から自分たちでジャム作りを行った。作業内容はまず半解凍のブルーベリーを流水で洗いゴミを取り除き、その後レモン汁と砂糖を加えて鍋でゆっくり煮詰めていく作業であった。ブルーベリージャムを煮詰めて

有限会社でんぱた
【出典：執筆者撮影】

いくと、とても甘くてさわやかな香りがした。出来上がったジャムは煮沸消毒したビンに移し替え、最後に自分たちの思い思いのラベルを貼って完成となる。実際に試食してみると市販のジャムとは異なり、甘さが控えめな中にもブルーベリー本来の酸味も感じられ、格別の味となっていた。

農業体験研修の最終日には、そば打ち体験を行った。これは、これまでに農業体験でお世話になった農家さん達を招いて、自分たちで作ったそばやお稲荷さん、天ぷらなどを作って振舞い、感謝の意を伝えることを目的としている。農泊「保木山」を営んでる佐川富夫さん・陽子さんご夫妻には、そば打ちを教えていただいたり、天ぷらを揚げたり、稲荷ずしを作ったりしながら、「農泊」の思いについても触れることができた。ご指導の甲斐もあり、期間中お世話になった受け入れ農家さんたちを招いた昼食会では、打ちたてのそばや揚げたての天ぷらを囲みながら、農家のみなさんに感謝を伝えることができた。

## 五　農業体験研修の成果

今回参加した学生は、大自然を身近に感じたことがないと答える学生が大半だった。しかしこのような農業体験を通して、農家さんの大変さを肌で感じ、農家の皆様の農業に対する熱意やポリシーに触れたことにより、より食に対して関心が高くなっているようであった。特に、甚右衛門さんからいただいたトマトの「アイコ」を食べている際、「このトマトを食べてから、他のトマトが食べられなくなった」等の発言が学生から出ていたのが大変印象的であり、これが農業体験研修の醍醐味であると感じた。また、今回の農業体験は「学生同士で積極的に話し合うことと自炊すること」を目標としていた。学年や学科が異なる中で、学生は学生同士積極的にコミュニケーションをとりながら協力して食事の準備を進めることができ、体調不良の者も出すことなく無事に研修を終えることができた。

農業を体験させていただきながら農家さんたちと触れ合い、生産者と消費者の立場を交互に経験することができたことや、矢祭町の魅力や課題に触れ、様々なことを考える機会をいただくことができたことによって、大変有意義な一週間となった。また農業体験の他に滝川渓谷の散策や児童クラブでの読み聞かせなどの体験も行うことができた。都会では味わうことのできないような体験を通して、他の地域を知ることができたことは、学生にとって非常に良い刺激となったことは、今後の職業選択にも貢献しうる経験だったのではないかと思う。

## さいごに

みなさんに「田舎」はあるだろうか。「田舎」という言葉は、なんとなくネガティブな気持ちにさせるかもしれないが、「田舎」でないと体験できないことがたくさんある。農業体験研修は、どのような生産者さんたちがどのような思いを込めて栽培をしているのか、肌で触れることのできる格好の機会である。もしかするとこのようなバラエティに富んだ農業体験研修は、長期休業期間のある学生時代にしか体験できない経験かもしれない。現在の日本は第一次産業が低迷し[10]、食料自給率も三七%[11]、農業従事者も高齢化[12]してきており、私たちの食卓に並ぶ食事が全て外国からの輸入品だけになってしまう日も近いかもしれない。日本の農業にそしてこれからの食卓の在り方に少しでも関心を向けてもらえたらと思う。そして是非、田舎でしか味わえない「採れたての新鮮な野菜」「澄んだおいしい空気」を体験してもらえたらと思う。

注

（1）内閣府『令和元年版高齢社会白書（全体版）』平成三〇年、p.2（最終閲覧日：二〇一九年九月二四日）
https://www8.cao.go.jp/kourei/whitepaper/w-2019/zenbun/pdf/1s1s_01.pdf
（2）同上、p.2（最終閲覧日：二〇一九年九月二四日）
（3）同上、p.2（最終閲覧日：二〇一九年九月二四日）
（4）内閣府『平成三〇年版高齢社会白書（全体版）第一節　高齢化の状況四　地域別にみた高齢化』平成三〇年（最終閲覧日：二〇一九年九月二四日）
https://www8.cao.go.jp/kourei/whitepaper/w-2018/html/zenbun/s1_1_4.html
（5）矢祭町ホームページ

http://www.town.yamatsuri.fukushima.jp/page/page000246.html（最終閲覧日：二〇一九年九月二四日）

（6）宮田静一（二〇一〇年）『しあわせ農泊―安心院グリーンツーリズム物語』（西日本新聞社）

（7）農泊の推進について、農林水産省農村振興局
http://www.maff.go.jp/j/nousin/kouryu/attach/pdf/170203-44.pdf（最終閲覧日：二〇一九年九月二四日）

（8）広報やまつり 二〇一五年七月（No.652）
http://www.town.yamatsuri.fukushima.jp/data/doc/1562579055_doc_11_0.pdf

（9）総務省『地域力の創造・地方の再生 地域おこし協力隊の概要』
http://www.soumu.go.jp/main_content/000610488.pdf1（最終閲覧日：二〇一九年九月二四日）

（10）総務省『平成二七年国勢調査』
https://www.stat.go.jp/data/kokusei/2015/kekka/kihon2/pdf/gaiyou.pdf（最終閲覧日：二〇一九年九月二四日）

（11）農林水産省『平成三〇年度日本の食料自給率』
http://www.maff.go.jp/j/zyukyu/zikyu_ritu/012.html（最終閲覧日：九月二四日）

（12）農林水産省『農業構造動態調査 平成三〇年調査結果概要』
https://www.e-stat.go.jp/stat-search/files/data?sinfd=000031778291&ext=pdf（最終閲覧日：九月二四日）

# 第6章

# コミュニティ再生のための理論と実践

廣重　剛史

## はじめに――現代日本における人間関係の希薄化――

現在、日本では人と人とのつながりが希薄化するなかで、「コミュニティの再生」が求められている。たとえば、集合住宅では隣人トラブルや独居老人の孤独死が生じ、ニュースでは老々介護の悲惨な現場や、引きこもりの高齢化問題などが報じられる。会社では正規と非正規の待遇格差で人間関係がよそよそしくなり、仕事や育児にストレスを抱える両親のもとでは、幼児・児童虐待につながるケースも稀ではない。自己肯定感の低い若者が増えたと言われ、価値観が多様化するなかで恋愛を面倒だと感じる者も増えている。大学のサークル活動の停滞は著しく、文化祭の成立さえ危ぶまれる状況も生じている。このような大小様々な出来事を目にすると、今日の日本人の多くは「自由」や「便利さ」を享受しながらも、実際は強い「孤独」と「不安」のなかで生きているように思われる。

本稿では、以上のような問題意識を前提として、現在の日本で「コミュニティの再生」を考えるうえで重要な視点を、社会学的に考察することを目的とする。その際、本稿ではとくに現代の諸問題を、合理主義や経済主義、民主主義を柱とする「近代化」との関係から把握し、それらを批判的に考察する社会哲学を背景にしている。もちろん、右で述べた社会状況が日本の全体的な特徴として指摘できるのかどうかについては、多くの客観的な事例やデータを用いて根拠づける必要があるが、その課題については別の機会に譲りたい。

表1）NPOの分類

| 最狭義 | 特定非営利活動法人（NPO法人） | |
|---|---|---|
| 狭義 | 市民活動団体、ボランティア団体 | 地縁団体 |
| 広義 | 財団、社会福祉、学校などの公益法人 | |
| 最広義 | 生活協同組合、農業組合、労働組合などの共益団体 | |

出典：大阪ボランティア協会編（2004,p.9）をもとに筆者作成

## 一　なぜ、いま「コミュニティの再生」か？

ところで、右に現代日本の社会的課題の一例として挙げた、隣人トラブルや孤独死、正規と非正規の格差、児童・幼児虐待などの問題は、国や自治体や警察などの「行政」組織が対応すべき問題ではないだろうか？　実際に、正規と非正規の格差解消を目指す「働き方改革」も国が進めている。また虐待の問題も、今なお悲惨な事件が後を絶たないが、警察と児童相談所の連携も改善が検討されている。こうした意味で、社会問題の解決に対して、行政が果たすべき、また果たしうる役割が、現在もきわめて大きいことは言うまでもない。

しかしながら、周知のように日本はすでに一千二百兆円以上の債務を抱える財政難にある。そのなかで、税金に依存した公共サービスの縮小が求められるのは、財政破綻の危機にある市町村だけではなく日本全体の長期的な趨勢である。ここに、従来行政がおこなってきた公共サービスを、住民やNPO、ボランティアなども担ってゆく、相互扶助的な「コミュニティ」の形成が求められる背景がある。

なお、本稿で言及するNPO（Not-for-Profit-Organization）とは、表1で分類されるところの最広義の非営利団体まで指している。ただし、NPOは「非営利」と

表2）共生社会（相互補完型社会）の構図

| 社会部門 | 主たる担い手 | 機能 | 規範 | 弊害 |
| --- | --- | --- | --- | --- |
| 市場セクター | 企業、個人 | 交換(自助) | 自由 | 格差拡大 |
| 公共セクター | 行政 | 再分配(公助) | 平等 | 税負担増 |
| 共生セクター | 地縁団体、NPO | 互酬(共助) | 連帯 | 心理的拘束 |

出典：田村(2009: 36)をもとに筆者作成

いう性格から、町内会や自治会等の地縁団体も含まれるが、本稿では後述するように地域性に基づく「地縁団体」と、地域にこだわらずに公共的なテーマを追求する「NPO」とは区別して扱っている。

あらためて確認すると、コミュニティが地域で重要な役割を果たし得るのは、コミュニティに「経済や政治のシステムを補完する働き」があるからである。この点に関して、経済、政治、コミュニティの三者をそれぞれ、社会を構成する「市場セクター」「公共セクター」「共生セクター」という三つの部門として考えると、それらは、上の表2のような特徴を持っていると考えられる。

ここで表2の「規範」に着目して、現代社会の動きを図式的に整理すると、それは近代化以降の「自由」「平等」「連帯」という理念の実現を求める動きの相克、という観点から捉えることができる。すなわち、近代社会は「経済」を中心に動いている社会である。そのため、アダム・スミスの『国富論』が示したように、「欲望を自由に追求できる社会」、すなわち「自由」の理念が近代社会の第一の理念となった。

しかしながら、無制約的な自由経済の追求は、社会に大きな貧富の格差をもたらす。そのため、産業革命後の資本主義社会における格差の拡大が、人びとのあいだで「平等」を理念とする社会主義を求めさせ、マルクスを登場させることとなった。しかし資本主義のなかでも、「無制約的な自由経済は、資本主義の発展そのものを不可能にする」というケインズの考え方が、二〇世紀前半に登場する。そして、とりわけ第二次世界大戦後は、国家が経済政策や社会政策によって格差を縮小させることで、国内の有効需要を喚起するという、平等主義的な政策が、多くの資本主義国のなかで採用されることとなった。

その後の資本主義国は、自由を理念として市場セクターの役割を強調する「小さな政府」か、平等を理念として公共セクターの役割を強調する「大きな政府」かを、それぞれの国の事情で、時代により選択してきた。そのなかで戦後日本は、基本的には「大きな政府」を基調としてきた。しかし、少子高齢化のもと人口減少社会に移行するなかで、これまでの福祉国家政策を維持することが困難となった。そのため一九八〇年代以降、公的セクターの領域を国家主導で縮小し、経済をふたたび自由主義路線に転換する「新自由主義」と呼ばれる考え方が、日本でも拡大してきた。規制緩和、金融化、民営化、社会保障の個人化などが、その代表的な政策である。

しかしながら、自由主義的な「小さな政府」にせよ、ケインズ主義的な「大きな政府」にせよ、基本的には両者ともに「経済成長」を第一の目的としてきた点では変わりはない。そして、経済成長をひたすら追求するなかで、国民の企業中心の生活様式が、地域コミュニティにおける相互扶助のつながりを衰退させてきた。しかし、市場セクターの偏重は格差拡大を惹起し、公共セクターへの依存はすでに財政難を招来している（表2参照）。そのため現在、ＮＰＯと従来の地縁団体、行政や企業が連携し、社会的課題の解決を目指す試みが求められるようになっている。

## 二　住民やＮＰＯによる社会的課題解決への取り組み事例

以下では、そのような社会的課題を解決する幾つかの試みとして、筆者自身が関わっている活動を簡単に紹介する。

**① 東日本大震災被災地での植林を通じた地域間・多世代交流**

津波で九名の死者・行方不明者を出した宮城県気仙沼市本吉町前浜地区で、地域の方々とともに防災林や経済林となる「椿の森づくり」を進めている。震災以前から住民の方々に親しまれていた椿を中心に、地元の植生に基づいた樹種を、毎年、住民と高校生、大学生、一般のボランティアで植樹している。植える苗木は生態系に配慮し、気仙沼市で採取した種子を関東に持ち帰り、大学生や大学近隣の新宿区の戸山地域の住民が、二～三年育苗したものを、再度気仙沼に輸送して植樹している。こうした震災を後世に伝える活動を通じて、椿を媒介として地域間交流・多世代交流を活性化させ、コミュニティ再生を目指している（廣重二〇一八）。

**② 新宿でのＮＰＯのネットワーク形成と地域交流の場づくり**

新宿区内で活動する様々な支援団体が、住民や市民主体のまちづくりに関する協同集会を二〇一五

表3）連携方法を検討するためのマトリクス（一部）

| | | してもらいたいこと、一緒にやりたいこと | | |
|---|---|---|---|---|
| | | えんがわ家族 | 目白大学 | 戸山シニア活動館 |
| できること | えんがわ家族 | | 社会貢献活動 | 多世代交流 |
| | 目白大学 | 学生参加 | | 学生参加 |
| | 戸山シニア活動館 | 会場提供 | 社会教育の場の提供 | |

筆者作成

年に開催した。この集会を契機に、関心を共有する参加者が「新宿まちづくりネットワーク懇談会」として、月一回程度を目途に情報交換と交流会を開催している。これまで参加した団体は、戸山ハイツ自治会、子育て支援ＮＰＯ、発達障害当事者団体、学生サークル、寺院、社会福祉法人、暮らし一般に関する電話相談業務等をおこなう一般社団法人、社会福祉協議会、労働者協同組合、生活協同組合、大学など三〇を超える。参加する団体や個人は毎回変わり、交流の場としてゆるやかなネットワークを維持するとともに、そこで出会った者どうしが別途イベントを開催し、懇談会として協力や後援などをおこなっている。二〇一八年度までは、支援団体間のネットワーク形成のためのマトリクスづくりなどに取り組んだが、二〇一九年度はより地域に根差した活動と交流を深めるため、新宿区戸山地域で多世代交流に取り組んでいる団体「えんがわ家族」の食を通じた交流会に、本学科の星玲奈専任講師とともに参画している。

なお、参考のためマトリクスの一部を表3に示した。マトリクス作成の手順としては、まず各団体が、新宿まちづくりネットワークに参加する団体に対して「してもらいたいこと、一緒にやりたいこと」（列）と「できること」（行）を記入する。その結果、各マスに二団体それぞれの「やりたいこと」と「できること」の二つの内容が書きこまれるので、それを見ながら両団体が話し合い、可能な連携方法を話し合う。このマトリクスの利点としては、マスに書き込まれる二団体の連携の可能性が明確になるだけではなく、他団体の「やりたいこと」や「できること」も同時に見ることができるため、同様の関心をもつ団体がいれば三団体以上の連携にもつながり、他団体に対する理解も進むという点であろう。

### ③安心・安全な食の提供を中心とした生活協同組合の社会活動

一九七〇年代前半までの高度経済成長期は、核家族を大量に生み出すことでこれまでの地域社会を一変させ、またその経済成長至上主義は深刻な公害問題を引き起こした。そのなかで安心・安全な生活用品や食品を共同購入する生活協同組合が盛んになった。なかでも九〇年代にいち早く個配に舵を切ったパルシステムは大きく業績を伸ばし、筆者が員外理事として参画するパルシステム東京だけでも組合員数五〇万人以上、供給高は年間約七百億円の組織となっている。その力を活かし、パルシステム東京では現在、グループホームや保育園などの福祉事業も展開しており、また組合員どうしの交流や支え合い活動に加えて、一般の市民活動への助成金提供や復興支援活動などもおこなっている。

表4）コミュニティーの２つの極

| | 主たる担い手 | 形成原理 | 社会関係資本 |
|---|---|---|---|
| 地縁型 | 町内会、自治会 | 地域性に基づく共同性 | 集団内部の結合型 |
| テーマ型 | NPO、ボランティア | 自発性に基づく公共性 | 異質集団間の橋渡し型 |

出典：大野(2014)、広井(2010)をもとに筆者作成

なお、生協は組合員の出資から成り立つ共益団体のため、組合員への利益提供・分配が重要であることは言うまでもない。しかし、現在の生協はICA（国際協同組合同盟）が一九九五年に定めた原則七「コミュニティへの関与」も重視し、より社会に開かれた組織を目指している。その一つの実践として、パルシステム東京においては先述の新宿まちづくりネットワーク懇談会への参加がある。

## 三　「現場の重層性」と「キーパーソン」の存在

現在、コミュニティ再生を目的とする右のような住民や市民の活動が、多くの地域で試みられている。これに対して、従来、地域コミュニティ活動は、町内会や自治会といった組織が中心となって進めてきた。それら地縁団体の多くは現在、役員が高齢化して、組織率も低下している。とはいえ、やはり地域の防犯・防災、衛生美化等をはじめとして、地縁団体は行政との関係も深く、個人情報も多く保持しており、その役割は重要である。そのため、まずはＮＰＯと地縁団体両者の特徴的な違いを確認しておくことが重要である。

町内会等の「地縁型コミュニティ」と、ＮＰＯ等の「テーマ型コミュニティ」の大きな違いは、両者が形成されるそもそもの目的の違いにある。前者の地縁型コミュニティ

は、その成立根拠が、一定の地理的範囲に居住する住民たちが、ゴミ当番や地域の衛生美化、防犯・防災活動など共通の利害関係を有することにある。これに対して、NPOやボランティアは、基本的には地理的範囲に関係なく、各団体や個人が自発的に、福祉や環境、平和、人権等で各自が関心のある公共的なテーマに関して活動するなかで生まれてくる。そのため、両者のコミュニティの性格にも違いが生じ、地縁型コミュニティはその集団内部の結束を強めることを志向する。これに対してテーマ型コミュニティは、共通のテーマや関連するテーマであれば、多様な人びとや団体が国内外にネットワークを比較的自由に作ってゆくという特徴がある。

両者はときとして、その志向性の違いから、関係がうまくいかず軋轢が生じることも少なくない。たとえば、被災地に環境保全をテーマとして入った大学含むNPOが、地域の自治会等と軋轢を生じさせることがある。そのような軋轢が生じてしまう原因の一つは、NPOが、地域が政治（自治のあり方、人間関係）や経済（就労構造や産業、生業）、法（地域慣行を含めたルール）、教育（学校や世帯との連携）、宗教その他、多様なテーマが複雑に絡み合っている生活の場であるという「現場の重層性」をしばしば見落とし、各団体の考える「理念」や「大義」を前提に話を進めようとすることから生まれる。

もちろん、地域の側もコミュニティが衰退しているなかで、何かしらのかたちで地域の存続や活性化を願うとき、地縁団体の力だけで自立していくことは困難である。そのため、地域の側もある程度地域外の団体や個人に開かれている必要がある。ここで重要な視点は、地縁型とテーマ型の二種類のコミュニティといっても、それはあくまで理念的に見た場合の「両極」にすぎないという点である。現実のコミュニティのなかには、地縁団体のなかにも公共性を志向する人びともいるし、NPOのなかにも共同性を重視する人びともいる。そして実際に、地縁団体の役員がNPOの役員を兼ねている場合も少なくない。したがって、多くの地域が衰退している今日、新しい地域コミュニティ形成の力となるのは、公共性と共同性を対立したものとして捉えない包容力のある「キーパーソン」の存在（一人の場合もあれば、複数の場合もある）と、そこに共感し協働する人びとのネットワークだと考えられる。

## 四　コミュニティ形成に必要な視点

それでは最後に、こうした「コミュニティ」を成立させ、持続させてゆくための条件とは何か。もちろん、上記のキーパーソンの力も必要不可欠な条件の一つであるが、個人レベルの負担だけでは、コミュニティはやがて持続不可能となることは明白である。ここで社会学者のタルコット・パーソンズの議論を参考にすれば、ある社会システムが維持されるためには、外部環境との関係を調整する「目標達成」と「環境適応（資源調達）」、内部成員間の関係を調整する「統合」と「潜在的パターン維持」という、四つの機能が必要である（表5）。そして、このようにコミュ

表5）コミュニティーの成立要件

| 機能 | 内容 |
| --- | --- |
| 目標達成 | グループとしての活動目標 |
| 環境適応（資源調達） | 新規参加者と活動資金の調達 |
| 統合 | メンバー相互の対等な関係と役割分担 |
| 潜在的パターン維持 | 連帯意識の醸成（インフォーマル含む） |

出典：沢田（online）をもとに筆者作成

ニティ成立の条件を明確化することで、実際のコミュニティ形成の一つの基準として、現状のコミュニティの課題発見などに役立てることも可能となる。

また、以上の観点とは別に、「コミュニティの凝集度」とでも呼ぶべき、メンバーのつながり方の強度の観点もあり、その強度には大きな幅が考えられる（金子 2016: 91）。凝集度の高いコミュニティもあれば低いコミュニティもあり、時期によってもそれは変化するであろう。また、ＳＮＳを含めた「コミュニティ一般」ではなく、「地域（を舞台とするコミュニティ）」というキーワードを重視すれば、コミュニティの成立要件の大前提として、地域の「風土性」すなわち、ある地域における自然と人間の活動が織り成してきた、一定の「趣き（志向性）」を踏まえることが重要である。

それでは、この「風土性」とはどのように把握できるのか？　ここで、「風土学」を提唱しているオギュスタン・ベルクの考えを参考にすれば、ある土地の「風土」とは、そこに住む人びとにとって、①自然的であると同時に文化的であり、②主観的であると同時に客観的であり、③集団的であると同時に個人的であるという、相互生成的（「通態的」）な性格を持つ（ベルク 1992: 183-184）。言い換えれば、風土は、①自然と人間の相互作用により生み出されるため、②純粋に客観的に把握されえないのと同時に、ただ主観的にのみ表象することも不可能である。そして、③その風土の把握は、コミュニティによって伝達されてゆくが、その見方は個人個人によって異なる、ということである。

このように「風土」を考えると、風土性の把握には、その地域の自然と歴史に関して「客観的な姿」と「住民の主観的な意味づけ」の双方を、可能なかぎり明らかにしてゆく姿勢が求められる。ここで

「地域の客観的把握」というとき、当の地域住民よりも、地域の利害関係から離れているボランティアや専門家のほうが、相対的に見てその把握を得意とするということは言える。また、それが地域にとっての、ボランティアや専門家の存在意義の一つでもある。

しかしながら、「客観的」というのはあくまでも理念であり、現実には風土の「解釈」しか存在しえない。それゆえ、「純粋な観察者」などは現実には存在せず、ある地域の風土性を解釈する行為、あるいはより一般的には、外部から地域に関わろうとする行為それ自体が、その地域に多かれ少なかれ何らかの影響を及ぼす。その意味で、ボランティアや研究者、NPOなどが地域に関わる際には、今後、地域へ入る際のモラルや、他者が置かれている環境、すなわち「現場の重層性」に対する理解が、今まで以上に必要であろう。

参考文献

大阪ボランティア協会編、二〇〇四、『ボランティア・NPO用語辞典』(中央法規出版)
大野正英、二〇一四、「社会システムとしての地域コミュニティ」(経済社会学会編『経済社会学年報』第三六巻、現代書館)pp.15-24。
金子勇、二〇一六、『「地方創生と消滅」の社会学――日本のコミュニティのゆくえ』(ミネルヴァ書房)
沢田善太郎、「パーソンズの社会学」、http://www.hkg.ac.jp/~sawada/kougi/20/20.htm (2019/9/27)
田村正勝、二〇〇九、「ボランティア論――社会哲学による基礎付け」、田村正勝編著『ボランティア論――共生の理念と実践』(ミネルヴァ書房)pp.1-54。

広井良典、二〇一〇、「コミュニティとは何か」、広井良典・小林正弥編著、『コミュニティ――公共性・コモンズ・コミュニタリアニズム』（勁草書房）pp.11-32。
廣重剛史、二〇一八、『意味としての自然――防潮林づくりから考える社会哲学』（晃洋書房）
ベルク、オギュスタン、一九九二、篠田勝英訳『風土の日本――自然と文化の通態』（筑摩書房）

# 第7章

# 学生が地域活性化活動に参加する意義と効果測定への試案

藤巻　貴之

## 一　大学の地域連携活動活発化の経緯と現状

現在、地域と大学の連携活動は活発化しており、大学が地域と多種多様な関わりを持っている。文部科学省（二〇一八）による調査報告書「平成二九年度開かれた大学づくりに関する調査研究」では全国の大学・短大を対象とし（回答率：八三・四％（九三一／一、一一六校）：大学八四・七％（六六二／七八二校）、短大八〇・五％（二六九／三三四校））、各大学が実施している公開講座のほか、大学と地域との関係構築に関する取組状況について調査が行われた。その中で大学による取り組みとして全一三項目の内、「公開講座を実施すること」（九七・一％）、「教員を外部での講座講師や助言者、各種委員として派遣すること（九一・八％）」、「社会人入学者を受け入れること」（八七・五％）、「学生の地域貢献活動を推進すること」（八五・二％）が突出して高い実施率を示している。（回答は複数回答、ｎは無回答を除く六五〇件）この結果からほぼ全ての大学がなにかしらの形で地域に対して関わりを持っていると言える。また、学生の地域貢献活動の有無については有効回答六三二大学の内五五三大学（八七・五％）が〝行っている〟と回答している。（注　調査では学生の地域貢献活動を〝学生が、地域が抱える諸問題の発見とその解決に向けて、地域の人々（市民）と協力しながら行う活動〟としている。）

このような地域と大学の連携が活発化した理由となるのは、平成一一年に施行された「地方分権一括法」であり、中央・地方の上下関係から対等・協力関係としての地域（地方）への変化が求められた。

力のある自治体は独自のガバナンスを発揮する一方で、小規模自治体は悲鳴を上げることとなった。その結果、多くの地域では協働者・パートナーを求めた。その流れの中で教育基本法第七条「大学は、学術の中心として、高い教養と専門的能力を培うとともに、深く真理を探究して新たな知見を創造し、これらの成果を広く社会に提供することにより、社会の発展に寄与するものとする」（平成一八年改正）や学校教育法第八三条「大学は、学術の中心として、広く知識を授けるとともに、深く専門の学芸を教授研究し、知的、道徳的及び応用的能力を展開させることを目的とする。二大学は、その目的を実現するための教育研究を行い、その成果を広く社会に提供することにより、社会の発展に寄与するものとする」（平成一九年改正）の改正があった。このような経緯で地域と大学のニーズが一致したため、先に挙げた調査においても「公開講座を実施すること」「教員を外部での講座講師や助言者、各種委員として派遣すること」が当初から上位にあるのも当然といえる。また、同調査結果の〝連携先別の実施有無〟においても地域内の自治体（八六・三％）、地域外の自治体（五七・九％）との連携が地域内外の教育機関、企業、NPO等と比較しても高く、連携内容についても地域内自治体からは「地域課題解決への取組」「研修・講師派遣」「ボランティア活動の推進／教職員や学生の派遣」の要請が高く、地域外自治体からは「地域課題解決への取組」「研修・講師派遣」の要請が高い。地域外のNPO等については「ボランティア活動の推進／教職員や学生の派遣」の要請が自治体と同様に高い。

〝知と教育〟を地域に還元するという考え方には様々なアプローチがあるが、研究教育機関として大学は〝知を地域活性化に生かす〟と捉えることが望ましいであろう。大学が地域に対して提供するもの

表1．地域連携事業の分類と留意点

| | 留意点 |
|---|---|
| 伝統維持型 | すでに伝統がある事業のため、地域からの疎外感がある。一部の地域住民により、連携が成立するが他の成員と意思統一が図られていないこともある。 |
| 演出型 | ある特定の事業で学生・教員の協力をもとに実施する。しかし、事業内容は地域側で決められていることも多く、学生は独自判断が困難である。継続性の維持により交流の度合いも高まる可能性がある。 |
| 相互発展型 | お互いに実施していることを認めた上で実施されるため、地域・学生間の協力する意識が高い。しかし、継続性を高めるためには、地域と大学間で相互依存性が必要。 |

は教員の活用、地域住民の（大学への）受入、学生の活用等の地域へインパクトを与える活動があげられる。一方で、学生の地域活性化活動においては〝学び〟が主体となるべきである。しかし、この学びを考える際に学生がどのような理由で活動に参加するのか、誰と参加するのか等の様々な指標を検討することは困難となる。しかし、地域連携活動の継続性を考える上では明確な評価が必要不可欠となるであろう。

## 二　地域活性化活動の分類

学生が関わる地域活性化活動の分類の一部を紹介する。

### 1）活動の性質から

著者自身が関わってきた地域活性化活動を活動の性質から以下の三つに分類した。一．伝統維持型―これまで行ってきた伝統的な事業を維持するために新たな担い手を大学に求めるもの。二．演出型―学生との協同事業とすることで、地域事業そのものの価値を増大させるもの。三．相互発展型―共同で新たな地域事業へ

表2. 学生地域活動コミュニティの類型化

| | | 活動の基盤 | |
|---|---|---|---|
| | | 個人 | 大学 |
| 大学教育との関係 | 正課 | ゼミ型 | 教育プログラム型 |
| | 課外 | サークル型 | 部活動型 |

と発展させることを意図したもの。表1に三分類とその特性を示す。

**2) 内平ら（二〇一六）による地域課題に対する対応からの分類**

内平ら（二〇一六）は、〝どのように地域課題に対して対応した活動〟であるか、から以下の様に分類している。（対象：Enactus[1]の過去一〇年間（二〇〇六〜二〇一五）の優勝・準優勝プロジェクトより選定。）

一．若者や滞日アジア人の地域就労支援
二．地域観光振興
三．高齢化地域支援
四．ゴミ削減
五．障害者支援
六．教育格差の解消
七．地域固有性の継承

**3) 大学教育との関連性からの分類**

また、内平ら（二〇一三）は学生が地域と連携する活動コミュニティの実態調査を実施し、大学教育との関係（正課・課外）x活動の基盤（個人・大学）の二軸分類した。（対象：兵庫県立大学環境人間学部エコ・ヒューマン地域連携センターに登録する一七の活動コミュニティと、神戸大学大学院農学研究科地域連携センターに登録する三つの活動コミュニティ：表2）

## 三　地域活性化活動の大学と教員の関わり方

先の1)においては、数名の教員による活動ではあるものの学内NPOがそれを支援している。2)、3)においても地域連携センターの管轄による活動から整理されている。先に示した「平成二九年度開かれた大学づくりに関する調査研究」から、実施形態による実施有無をみると「課外活動として実施」（八七・六%、五一六校）、「授業の一環で実施」（七七・二%、四九六校）、その他の形態で実施（六五・八%、四三八校）となっている。（文部科学省、二〇一八）この結果からも活動は様々な形態で実施されていることが分かる。教員・ゼミ、学科、学部の枠を越えた活動があるため管理単位が困難である。これらのことから地域活性化活動の継続性・質の確保の観点から管理組織の必要性が伺える。同調査によると有効回答六四九大学の内五〇一大学（七七・二%）が専門機関・組織を有している。

現在の傾向として、活動をコーディネートする教員の役割は大きく、ゼミ担当者や活動のプロジェクト担当者である教員が地域に対する効果そのものだけでなくそこからの〝気づき〟も操作しているのように感じる。このような経緯としてコーディネーターの役割が高まっていることがあげられる。多くの学生を地域と関わらせる上で必要ではあるが、反面学生と地域間の信頼関係やコミュニケーションがコーディネーターである教員に依存しやすい。

京都府立大学京都政策研究センター（二〇一五）の発表した報告書では、地域と大学とのマッチングのニーズが減少していると報告されている。その課題としては、「人手・人材不足」「連携の予算確保ができない」「連携意識が学内に浸透していない」「地域ニーズを把握する仕組みがない」などがあげられている。調査書では、地域ニーズと学生ニーズのマッチングの仕組みや大学と地域を繋ぐコーディネーターの確保が課題だとされている。そのため、各大学に設置されている地域連携推進センター等の学内機関は学内の教員および学生の人的資源を学外のニーズとマッチングさせるためには有効だと言えるだろう。

また一方で、ソーシャル・キャピタル（社会関係資本）を世に示したPutnam（ロバート・パットナム）は以下の様に説明している。ソーシャル・キャピタルの概念はフェイス・トゥー・フェイスが前提としているが、地域ネットワークと結びついて行われてきたボランティアが、現在では〝プロ化〟したボランティア・マネジメントが大きな役割を担っている。そのため、個人のコミュニティへ関与に繋がっていないとしている。(Putnam, 2000)

研究教育機関における地域活性化活動は〝学び〟を主としているため、その機会を増やすための学内専門機関の必要性があると同時に〝効果的な〟学びを与える場となってしまうことが懸念される。

## 四　活動参加による効果の測定

学生は様々な動機づけから活動に参加しているが、活動そのものは〝地域のために〟を前提とされる

表3. Putnamによるソーシャル・キャピタルの分類

| | | |
|---|---|---|
| 性質 | 結束的<br>（民族ネットワークなど） | 橋渡し型<br>（環境団体など） |
| 形態 | フォーマル<br>（労働組合など） | インフォーマル<br>（スポーツの試合観戦） |
| 程度 | 厚い<br>（家族の絆など） | 薄い<br>（知らない人への相づちなど） |
| 志向 | 内部志向性<br>（商工会議所など） | 外部志向性<br>（赤十字など） |

坂本治也（2002）「ソーシャル・キャピタル概念の意義と問題点」
ソーシャル・キャヒタル研究会を元に著者加筆

ことが多い。地域との活動の効果として、この〝地域のために〟を個人のものとして捉えられるかが重要なのではないだろうか。そこでソーシャル・キャピタルの考え方を取り入れることにより効果を、愛他精神を養うことから活動に参加することによる効果が学生自身のものになると考えている。

ここでソーシャル・キャピタルについて概観する。Putnum(2000)は、ソーシャル・キャピタルを以下の二つの性質に整理している。（表3）一つ目は結束型（ボンディング：または排他型）であり、メンバーの選択・必要性によって、排他的な集団アイデンティティを形成する。例として、民族グループ、教会等を主とした活動などを挙げている。結束型のソーシャル・キャピタルは、互酬性を安定させ連帯感を強める。二つ目は橋渡し型（ブリッジング）のソーシャル・キャピタルは、結束型とは対照的に外部との繋がりや情報共有に優れており、より広いアイデンティティや互酬性を生み出すとしている。Putnam(2000)は、結束型は強い忠誠心を生み出すと同時に外集団へ敵意を生み出すのに対し、橋渡し型は異なる組織間における異質な人や組織を結び付けるネットワーク形成に適している。

表 4. 構造的と認知的ソーシャル・キャピタル

| | 構造的 | 認知的 |
|---|---|---|
| 源泉とその発現 | 役割と規則、ネットワーク | 規範、価値、態度、信念 |
| 領域 | 社会組織 | 市民社会文化 |
| 動的要因 | 水平的連携、垂直的連携 | 信頼、結束、協力、寛容 |
| 共通要素 | 互酬的協調行動への期待 | |

JICA(2002)

ただし、Putnam(2000) は、どちらが優れているという議論ではなく、多くの社会状況下では結束型と橋渡し型の両ソーシャル・キャピタルが、正の社会的効果を持ちうるとしている。

また、Putnam(2000) によるとネットワークが価値（信頼や互酬性）をもつことにあるとしている。また関連した研究結果としても Subjective Well-Being や健康との関連も明らかにされている。しかし、ソーシャル・キャピタルの測定として政治参加、諸団体への参加、宗教参加、職場でのつながり、インフォーマルな社会的つながり、愛他的・慈善的な行為（ボランティア活動を含む）を二次的に利用している。ソーシャル・キャピタルには構造的側面（互酬的集団行動に寄与するネットワーク、役割、規範等）と認知的側面（互酬的集団に寄与するような規範、価値感、態度等）があるとされ、相互補完関係にある。（表 4）

これらのことから認知的側面からソーシャル・キャピタルを個人が主観的にどのように捉えるかが重要である。ソーシャル・キャピタルの主観的指標としては、芳賀ら（二〇一七）による〝大学生活における主観的ソーシャル・キャピタル尺度（SSCS-U）〟が開発されている。SSCS-U尺度は、クラス・仲間・教員の大学生活における親密な関係のネットワーク・信頼・互酬性の三要素を測定している。ただし、親密な関係の対象は学内に限定されている。一方で、コミュニティ意識を測定する石森ら（二〇一三）による〝コミュニティ意識尺度（短縮版；原版は二〇〇四）〟も開発されている。住民の所属地域への態度を測定するもので、連帯・積極性、自己決定、愛着、他者依頼の四因子構造となっている。

大学生の地域活動を測定尺度の開発が求められており、地域活性化活動に参加する学生の効果を明確化するひとつの視点として、ソーシャル・キャピタル理論から測定することは意義があると考えられる。しかし、外部者である学生が大学での学びと合わせて地域と関わるため、SSCS-U尺度とコミュニティ意識尺度を併せ持った尺度開発が求められる。学生のソーシャル・キャピタルに対する認知指摘側面や地域との関わりを数値化することで地域と研究教育機関の連携が継続性を持ち、より良いものになると考えている。また、現在推進されているアクティブ・ラーニングやＰＢＬ（問題解決型学習）と学生の地域での学びを連動させる教育プログラムを進めることで、地域と学生の両者にとって効果的な関わり方を検討することができるであろう。

引用文献

石盛真徳、岡本卓也、加藤潤三（二〇一三）「コミュニティ意識尺度（短縮版）の開発」（『実験社会心理学研究』）53(1), 22-29.

芳賀道匡、高野慶輔、羽生和紀、坂本真士（二〇一七）「大学生活における主観的ソーシャル・キャピタル尺度の開発」（『教育心理学研究』）66, 77-90.
京都府立大学京都政策研究センター（二〇一五）〝「〝大学・地域連携のあり方に関する調査研究〟」報告書〟<https://www.kpu.ac.jp/cmsfiles/contents/0000004/4409/26chiiki.pdf>（2019/07/28 閲覧）
Putnam, R. D. (2000)『Bowling alone』. New York: Simon & Schuster. 22. 柴内康文訳（二〇〇六）『孤独なボウリング：米国コミュニティの崩壊と再生』柏書房
文部科学省（二〇一八）〝平成二九年度開かれた大学づくりに関する調査研究〟<http://www.mext.go.jp/a_menu/ikusei/chousa/1405977.htm>（2019/07/28 閲覧）
文部科学省（二〇一六）〝平成二七年度開かれた大学づくりに関する調査研究〟<http://www.mext.go.jp/a_menu/ikusei/chousa/__icsFiles/afieldfile/2016/11/22/1377544_001_1.pdf>（2019/07/28 閲覧）
内閣府「地方分権改革—地方分権アーカイブ—」<https://www.cao.go.jp/bunken-suishin/archive/archive-index.html>（2019/4/23 閲覧）
内平隆之、中塚雅也、布施未恵子（二〇一三）「学生地域活動コミュニティの課題と組織的支援」（『農林業問題研究』）191, 25-30.
内平隆之、中塚雅也（二〇一六）「大学生による地域連携活動の内的効果と評価の枠組み」（『農林業問題研究』）52(4), 211–216.

注

（1）三六ヵ国一、七〇〇大学、七万名が参画する大学生の起業家精神を育成する国際的プログラム

# 第8章

# ゼミ活動における“ほめトレーニング”の効果の検討

藤巻貴之・澤口右京

本稿では、大学ゼミ運営のあり方の試行を紹介する。大学のゼミナールでは、受講生の多い講義とは違い演習形式で行われている。その目的は、一．学生の主体的な学びと、二．主張を伝え、三．他者の考えを受け入れ、四．集団内での行動様式を獲得することだと考えている。

現在の大学では、アクティブラーニングや問題解決型学習が推奨されており講義科目でも能動的な学習が増えている。そのような教育を重ねてきた上での三年生のゼミをどう有意義にするかを考える上で、共著者である澤口氏の力をお借りし、以下に紹介する〝ほめトレーニング〟をグループワークと共に実施した。

グループワークでは、特定のテーマについてブレインストーミングを行った。今回の狙いは〝ほめトレーニング〟をおこなうことによりゼミ内での意見交換の質が向上するかを検討する。

## 一　問題と目的

大学におけるゼミ活動では、一・二年生時の授業をふまえて、より専門性を高めることが求められる。そのなかでは、個人での卒業研究活動はもちろん、学生同士が互いに協力、協調すると同時に指摘しあうことが期待される。ゼミがこのような学びの場として機能するためには、それぞれの学生がお互いに理解し尊敬しあえる関係が必要だと思われる。

そこで本稿では〝ほめ〟に着目する。ほめは社会関係の創造あるいは保持という社会的潤滑油としての役割があり（熊取谷、一九八九）、ほめ手とほめられ側の仲間意識を高める（Holmes, 1986）という効果が指摘されている。それゆえ、トレーニングで実際にほめ合うことにより、ほめのスキル向上と、学生の相互理解と尊敬の促進が期待される。これにより、質の高いゼミの活動につながると思われる。

そこで今回はゼミのなかでほめのトレーニングを実施する。この効果がみられたかを尺度得点とブレインストーミングの様子、および学生の自己評価により検討する。

## 二　ほめの意義とトレーニング

ほめるということは他者を肯定的に評価し、それを言葉により伝えることである。もっともイメージしやすいのは、「テストで満点なんてすごいですね」などのように、ある成果に対する賞賛であろう。しかし、日常の中では、賞賛されるべき成果ではなくとも用いられる。例えば「あなたのブラウスとてもいいですね」、「山本、おまえ電話しろ！　こういうのはお前が一番うまい！」など、社交辞令やおだてるために、ほめが用いられることもある。

このように記すと、ほめは心にもない嘘をつくことであるとか、迎合したり、ごますりしたりして相手をコントロールするために用いるという否定的な見解が生じるかも知れない。しかし、社交辞令やおだてのために用いられるほめは、社会的潤滑油として重要である（熊取谷、一九八九）ことから、ネガティブなイメージをもち、ほめを控えることは適当ではない。

そのことを理解するためにポライトネス理論（Brown & Levinson, 1987）を紹介したい。ポライトネス理論は、良好な対人関係のための円滑なコミュニケーションに必要な言葉遣いについての理論である。人には⑴他者から認められたいという欲求（ポジティブフェイス）と、⑵自らの行為を妨げられたくないという欲求（ネガティブフェイス）の二つのフェイスがあり、それらの脅威にならないようにコミュニケーション方略をとることが望ましいということが論じられている。先のブラウスをほめる例ではブラウスのセンスを認めることでポジティブフェイスを、電話をかけさせる例では誰かに強制されたくないという欲求を和らげることでネガティブフェイスを満たすための方略といえる。このようにほめはポライトネスの一端を担う。

ほめがポライトネスの一端を担うとはいえ、むやみに相手をほめるのは適切ではない。ほめには相手を評価するという側面が含まれるため、関係性によっては不適当である場合もある。例えば、「今日の授業は良かったです」と先生をほめるのは適当ではない。なぜならば、目上の人を評価することになるためである。このように相手を評価する形式をとるほめを明示ほめという。一方で、ほめ手が感じていることをあくまで「わたくしごと」として伝えるほめを暗示ほめという。（大野、二〇〇三）例えば「今日の授業は分かりやすかったです」というほめは、あくまでも私にとって分かりやすかったということであるので、評価という側面を和らげることができ、目上の人にも使いやすい。

本稿では、以上のようなほめの特徴について理解を深め、またグループワークを通して練習することで、ほめのスキル向上を目指した。またグループワークでお互いをほめ合うことによって、学生の相互理解と尊敬が向上することを期待した。

## 三　ブレインストーミング

ゼミのメンバー同士が、協調、尊敬、指摘し合える関係となったかを検討するためにブレインストーミングを実施する。ブレインストーミングは集団でアイディアを出し合うことにより創造的な発想を期待する技法である。⑴判断・結論は出さない（否定しない）、⑵自由に発言する、⑶質より量、⑷アイディアを結合させるという四つのルールのもとおこなわれる。本稿ではブレインストーミング後に、⑸アイディアの実現可能性を検討するというルールも加えた。これは出てきたアイディアについて、批判を含めて実現可能性を議論するものである。これを追加したのは、ゼミ活動においては、学生同士の協力、協調だけではなく、指摘しあうことを期待するため、それが生じたかを確認するためである。

## 四　効果の測定

効果の測定については，コミュニケーションスキル尺度のENDE1（堀毛、一九九一）とほめ態度尺度（高崎、二〇一五）、ほめへの反応尺度（高崎、二〇一五）を用い、自己評価と感想の自由記述を行った。

ENDE1は四五項目からなるコミュニケーションスキルを測定する尺度である。相手のメッセージを読み取るディコーディング、相手へメッセージを伝えるエンコーディング、ネガティブ感情をコントロールする感情コントロール欠如、相手と上手く付き合う、打ち解けやすさから構成させる。

ほめ態度尺度は二二項目からなる、ほめへの態度を測定する尺度である。ほめの役割の一端は認めることであるという承認重視、ほめる際は基準が必要であるという基準重視、上手くほめられるか心配であるという表出躊躇、効果的なほめへの見解があるという用い方重視から構成させる。

ほめへの反応尺度は一二項目からなる、ほめられた際に感じる事柄を測定する尺度である。ほめられるとポジティブな感情ややる気が生じるという意欲促進、素直に受け止められない、恥ずかしさを感じるというほめ不信から構成される。

## 五　手続き

事前説明およびトレーニングと調査は、本稿の共著者である藤巻ゼミにおいて、二〇一九年六月二五日から七月九日にかけておこなった。グループワークはひとつのグループが四から五名とし、三つのグループとした。実際にブレインストーミングを実施した二回の構成員は同じであった。

対象者は一五名（男性三名、女性一二名）であり平均年齢は二〇・〇九歳であった。

表1　ほめのトレーニング・グループワーク・効果測定の手続き

| 日付 | | 内容 | 時間 |
|---|---|---|---|
| 6月25日 | 0 | 自己紹介の説明と記入用紙の配布 | - |
| 1回目<br>7月2日 | 1-1 | 心理尺度への回答（1回目） | 10分 |
| | 1-2 | ほめについての説明1 | 10分 |
| | 1-3 | グループ内での自己紹介 | 25分 |
| | 1-4 | ブレインストーミング「合宿での学びとレクリエーション」 | 25分 |
| | 1-5 | 自己評価・感想 | 10分 |
| | 1-6 | 課題「ほめ経験をまとめる」の説明 | 5分 |
| 2回目<br>7月9日 | 2-1 | ほめについての説明2 | 10分 |
| | 2-2 | グループで課題「ほめ経験をまとめる」の発表 | 25分 |
| | 2-3 | ブレインストーミング<br>「今後1年半のゼミ活動を楽しく有意義にするにはどうすればよいか」 | 25分 |
| | 2-4 | 心理尺度への回答（2回目）・自己評価・感想 | 20分 |

### 五-一　事前準備

手続きについては表1に示す。事前準備として「0. 自己紹介の記入用紙の配布」をした。自己紹介では生まれてから現在までと将来の希望について、+10から-10の得点の範囲で折れ線グラフを使用して実施することを説明した。これは福田・古川（二〇〇六）のライフラインを参考にしたものである。翌週までに折れ線グラフを作成してくることを求めた。また、自己紹介で述べたくない内容は書かなくてもよいことを説明した。

### 五-二　一回目

はじめに「一-一　心理尺度への回答（一回目）」をおこなった。内容はENDE1、ほめ態度尺度、ほめへの反応尺度であった。

次に「一-二　ほめについての説明1」をおこなった。ここでは、ポライトネス理論（Brown & Levinson, 1987）からフェイスの概念を用い、コミュニケーションにおける配慮の必要性とほめの意義について説明した。

　さらに、「一―三　グループ内での自己紹介」では自己紹介をおこない、自己紹介を行った人をほめることとした。実施にあっては、以下の二点を定めた。まず、対象物を具体的にしてほめることである。ほめの対象具体的に示すことで、着目すべき点をみつけ、それを伝える練習となることを期待した。次に、ほめられた場合は素直に受け取ることである。これはほめ手としては、仮にほめを失敗しても（皮肉のようになっても）、ほめとして受け入れてくれるという安心感をもつことで、積極的にほめがなされると考えたためである。また、ほめられ手としては、相手が皮肉を言うつもりはないという安心感をもつことができると考えたためである。

　続いて「一―四　ブレインストーミング」では、先述の「三　ブレインストーミング」の五つのルールにのっとりおこなった。テーマはゼミにおける「合宿での学びとレクリエーション」を検討するというものであった。

　進め方は以下の通りである。まず⑴個人でアイディアを書き出した後、それを⑵グループ内の皆で出し合い共有する。次に⑶出たアイディアを話し合いによりカテゴリー化する。そして⑷アイディアについて実現可能性を検討する。⑴から⑷で出たアイディア、カテゴリー、意見等はすべて付箋に書き出すものとした。

　そして「一―五　自己評価・感想」をもとめた。「一―三　グループ内での自己紹介」と「一―四　ブレインストーミング」、その他についての自己評価と感想を自由記述により求めた。

最後に，「一－六　課題「ほめ経験をまとめる」の説明」をおこない、一回目は終了とした。これは、翌週の二回目までに、誰かをほめる、誰かからほめられた、誰かがほめているのを見た経験をまとめ、発表するという課題であった。ほめというコミュニケーションが日常的におこなわれていることを意識させることを目的とした。課題のヒントとして、古川（二〇一〇）の、ほめの機能についての分類を示し、日常のなかでほめが用いられていることを例示した。

### 五－三　二回目

翌週の二回目は、「二－一　ほめについての説明2」から始めた。ここでは、〝明示ほめ〟と〝暗示ほめ〟を紹介し、相手によって使い分けるのが望ましいことを解説した。

そして、「二－二　グループで課題〝ほめ経験をまとめる〟の発表」をおこなった。発表にあたっては、発表されたほめが、それぞれ明示ほめか暗示ほめかを話し合い分類することと、発表者をほめることとした。

続いて「二－三　ブレインストーミング」では、一回目と同様に五つのルールを示し手続きは同じであった。テーマは「今後一年半のゼミ活動を楽しく有意義にするにはどうすればよいか」とした。

最後に、「二－四　心理尺度への回答（二回目）・自己評価・感想」をもとめた。一回目と同じ尺度を使用した。自己評価・感想は「二－二　グループで課題「ほめ経験をまとめる」の発表」と「二－三　ブレインストーミング」、またその他についての自己評価と感想を自由記述により求めた。

表２　各尺度の平均値とｔ検定の結果

| | | 1回目 | 2回目 | $t$値 |
|---|---|---|---|---|
| コミュニケーションスキル | ディコーディング | 3.12 | 3.01 | .90 |
| | エンコーディング | 3.13 | 3.31 | 1.33 |
| | 感情コントロール欠如 | 3.47 | 3.53 | .50 |
| | 打ち解けやすさ | 3.53 | 3.59 | .51 |
| ほめへの態度 | 承認重視 | 4.11 | 4.10 | .19 |
| | 基準重視 | 2.36 | 2.51 | 1.15 |
| | 表出躊躇 | 2.54 | 2.73 | .66 |
| | 用い方重視 | 3.65 | 3.53 | .79 |
| ほめへの反応 | 意欲促進 | 4.36 | 4.29 | .55 |
| | ほめ不信 | 2.86 | 2.81 | .71 |

# 六　結果と考察

## 六－一　各尺度の得点

はじめに、心理尺度への回答を集計し平均値を算出した。（表2）コミュニケーションスキルのディコーディングは一回目が三・一二、二回目が三・〇一、エンコーディングは一回目が三・一三、二回目が三・三一、感情コントロール欠如は一回目が三・四七、二回目が三・五三、打ち解けやすさは一回目が三・五三、二回目が三・五九であった。

ほめへの態度の承認重視は一回目が四・一一、二回目が四・一〇、基準重視は一回目が二・三六、二回目が二・五一、表出躊躇は一回目が二・五四、二回目が二・七三、用い方重視は一回目が三・六五、二回目が三・五三であった。

ほめへの反応の意欲促進は一回目が四・三六、二回目が四・二九、ほめ不信は一回目が二・八六、二回目が二・八一であった。

ほめトレーニングとグループワークの前と後で、心理尺度の得点に差があるかを検討した。その結果、いずれの尺度においても五％水準で有意ではなかった。よって、心理尺度の得点からは、今回の試みの成果を確認することはできなかった。

### 六ー二　自由記述の結果の分類

自由記述の内容を分類すると表3から表5のようになった。自己紹介についての自由記述の分類（表3）と、ほめ経験の発表についての自由記述の分類（表4）では、カテゴリーが共通するため共に記していく。

「1．自己理解」は自己紹介では「人生をグラフにしてみることで忘れていた感情などを思い出せた」、ほめ経験の発表では「私はすごい人にすごいと言うのが得意らしいです」といった、自己理解の深まりに関する内容である。「2．他者理解」は自己紹介では「みんなことをよく知ることができて良かった」といった、他者理解の深まりに関する内容である。「3．発表技術」は自己紹介では「自分のターニングポイントは上手く伝えることができたと思う」、ほめ経験の発表では「もう少し構成をしっかり準備すべきであった」といった、発表の成功や反省に関する内容である。「4．ほめ理解」は自己紹介では「対象を具体的にしてからほめると、受け入れやすいなと思った」、ほめ経験の発表では「いろいろなところでほめられている場面があったことが分かった」といった、ほめの理解の深まりに関する内容である。「5．ほめ技術」は自己紹介では「他の人をまだまだほめ足りないなと思った」、ほめ経験の発表では「他の人の発表について上手くほめることができなかった」といった、他者をほめた際の成功や反省に関する内容である。「6．その他感想」はいずれのカテゴリーにも分類させない内容である。

ブレインストーミングについての自由記述の分類は表5に示す。「1．活発性」は「様々な意見がとびかい、とても短い時間で話がまとまった」といった、ブレインストーミングの盛り上がりに関する内容である。「2．回答の妥当性・多様性」は「やりたいことと他の意見を聞くことで新たな発見があった」といった、アイディアの多さや多彩さに関する内容である。「3．自己関与」は「否定されないとわかっていたので、いろいろな意見を出しやすかった」といった、どの程度積極的に参加できたかに関する内容である。「4．指摘・批判について」は「課題としては実現可能か、予算なども決めていくことが大事だと考える」といった、話し合いの中での批判や実現可能性についての言及の必要性に関する内容である。

### 六－三　自由記述からのほめトレーニングの効果

尺度の得点では、ほめトレーニングの実施前後で差はみられなかったため、自由記述の内容から今回の成果について検討したい。自由記述の回答をみていくと、一回目の自己紹介、二回目のほめ経験の発表ともほめに関する内容が多かった。自己紹介の際のほめの理解については、「ほめられる方もほめる方も良い気分になる」、「対象を具体的にしてからほめられると、受け入れやすいなと思った」など、その肯定的な効果についての理解の向上がみられた。一方で「ほめられても無理してほめてくれているん

表3　自己紹介の自由記述分類

| カテゴリー | 件数 |
|---|---|
| 自己理解 | 4 |
| 他者理解 | 2 |
| 発表技術 | 5 |
| ほめ理解 | 11 |
| ほめ技術 | 4 |
| その他感想 | 6 |

表4　ほめ経験発表の自由記述分類

| カテゴリー | 件数 |
|---|---|
| 自己理解 | 2 |
| 発表技術 | 3 |
| ほめ理解 | 19 |
| ほめ技術 | 6 |
| その他感想 | 3 |

だなと思ってしまった」というような否定的な意見もみられた。また「思ったより相手をほめることができなかった」「話しているなか相手をほめようと意識すると難しい」といった、相手をほめることの難しさを感じるという感想もみられた。

一回目の終わりに、翌週の二回目にグループワークで発表するための課題として、他者をほめる、他者のほめを見つけるという課題を出した。これは日常のなかで、ほめというコミュニケーションを意識して実践し、また目を向け、さらにゼミの中で他者の経験を聞くことで、ほめのスキル向上を期待した。

ほめ経験をグループワーク内で発表し、それぞれのほめを明示ほめと暗示ほめに話し合いで分類したが、自己評価として「ほめにならないのでは？と思うほど小さなことでも相手からしたら嬉しく思えるのではないかと感じた」、「ほめ方によって明示と暗示の二つに分かれることによって、違う意味合いとしてとらえることができ、それを考えながら人をほめることで無意識にほめている時より効果があるのかなと思いました」など、肯定的な理解の向上について意見がみられた一方、「日常のなかでほめようと思ってほめることはなかったので少し難しかった」、「意図して相手をほめようとするの

表５　ブレインストーミングの自由記述分類

| カテゴリー | 件数 | |
|---|---|---|
| | 1回目 | 2回目 |
| 活発性 | 11 | 8 |
| 回答の妥当性・多様性 | 6 | 4 |
| 自己関与 | 8 | 6 |
| 指摘・批判について | 1 | 0 |

は、割と難しい」など、ほめることの難しさを感じることも示された。ただし、「これからも目についたものなどは積極的にほめたいと思いました」、「私もずっとほめられるようにもっと他人のことを観ていきたい」という前向きな感想もみられた。このようなほめに対する認識の変化によって、これから日常生活のなかで、ほめを意識する機会が増えれば、ほめのスキルが向上することも期待される。今回は期間が短かったこともあり尺度得点の差はみられなかったが、ほめのトレーニングが日常のほめに目を向け、効果的なほめを発信していくきっかけとして働いたとすれば意義があったものと思われる。

**六－四　ブレインストーミングの結果をふまえた学生の協力、協調、指摘について**

本稿では、グループワークを通しての協調、尊敬、指摘し合える関係を目指した。一回目の自己紹介では、「みんなことを良く知ることができて良かった」といった他者の理解と尊敬がみられた。またブレインストーミングでは、「一人一人きちんと意見を出せていて話が盛り上がった」、「自分と似た意見であっても考え方が遠かったりなどして、相手の意見を聞く大切さが分かった」といった協力と協調がうかがえた。

一方で、ブレインストーミングの結果ならびに自由記述からは、指摘や批判できたといった内容はみられなかった。ブレインストーミングでは、多数のアイディアが出され、それらがカテゴリーにまとめられたものの、批判的意見は一件のみとほとんどなかった。終了後の自由記述による評価では「課題としては実現可能か、予算なども決めていくことが大事だと考える」という意見があるように、批判的な議論の必要性が指摘されていた。しかし、二回目においても指摘や批判がなされた様子はほとんどなかった。

## さいごに

本稿では、〝ほめトレーニング〟を行うことにより意見交換の質が高まるかを検討したが、データ数が少ないこともあり明確な効果を確認することはできなかった。しかし、先にも触れたように〝ほめ〟に対する意識が高まった以外に以下の二点について考えるヒントを得ることができた。

一つ目にブレインストーミングは〝批判しない・結論を出さない〟というポイントを伝えている。しかし、講義内やゼミでのブレインストーミングを観察していると批判的な発言を耳にすることが少ない。しかし、ほめトレーニングを事前に行うことで肯定的な反応の示し方を修得していたように感じた。批判をしないの具体的方法としての〝ほめ〟は有効だったようと考える。

今回は、トレーニングによる効果を単に発話量（アイディアの数）として捉えるだけではなく、それを指摘（批判）する機会を設けた。先にも述べたように批判に対する意見は整理したアイディアを見直す際にも、自由記述においても圧倒的に少なかった。ほめ合うことにより他者との信頼感が高まり、その結果として批判的な発言をしても受け入れてくれると判断することが考えられたが、残念ながら結果からは確認できなかった。一方で、この批判的な発言が極めて少ないことから批判的な思考が十分に修得できていない可能性も示唆される。今後、グループワークのテーマを変更して実施し、学びと意見交換時の批判的発言についての関係性をみていく必要がある。

本稿では、〝ほめトレーニング〟自体がゼミ内の意見交換の質を高めるとは言えないが、ひとつの試みとして継続していく意義はあると考えられる。今後、使用尺度の検討および観察法などの方法論を再検討したい。

引用文献


Brown, P. & Levinson, S. C. (1978). Politeness Some universal in language usage. Cambridge University Press.（Brown, P. & Levinson, S. C. 田中典子（監訳）（二〇一一）：ポライトネス：言語使用における、ある普遍現象　研究社）

Holmes,J. (1986). Compliments and compliment response in New Zealand English. Anthropological Linguistics, 28, 485-508.

堀毛一也（一九九一）社会的スキルとしての思いやり、現代のエスプリ、291, 150-160.

福田由紀・古川聡（二〇〇六）：人生満足度曲線の妥当性に関する検討―ライフラインの観点からの分析―法政大学文学部紀要、(54), 95-106.

古川由理子（二〇一〇）：「ほめ」が皮肉や嫌味になる場合 日本語・日本文化研究，36, 45-57.
熊取谷哲夫（一九八九）：日本語における誉めの表現形式と談話、言語習得及び異文化適応の理論的・実践的研究、2, 97-108.
大野敬代（二〇〇三）：人間関係からみた「ほめ」とその工夫について、早稲田大学大学院教育学研究紀要別冊、10(2), 337-346.
高崎文子（二〇一五）：ほめへの態度尺度の作成、ソーシャル・モチベーション研究、8, 50-64.

# 第9章

# 文系学生に対するAI教育のあり方を探る

吉岡由希子・小川真里江・新井正一

## はじめに

二〇一九年政府はＡＩ戦略の中で、人工知能（ＡＩ）を使いこなす人材を年間二五万人育てる新目標を掲げた[1]。この目標達成のため、文理を問わないすべての大学生に対してＡＩリテラシー教育を行うこと、また社会人向けの専門課程を大学に設置することを要請している。

人工知能は、これまでに三回ブームを迎えている[2]。第一次・第二次ブームの時は、基礎研究が不充分であったことおよびコンピュータの性能が不足していたこともあって実用化に至らず下火になった。第三次ブームは「機械学習」の基礎研究が大幅に進み限定的ながら実用化に成功した例が急激に増えている。これは、基礎研究の成果のみならず、人工知能が学習するために必要な大量のデータの収集を可能にしたＩＯＴの発達、学習のための高性能なコンピュータの進化、さらには人工知能の利用をいつでもどこからでも可能にしているクラウド技術の三大事象に支えられたものである。これにより人工知能を専門家だけではなく、誰でも活用することができるようになりつつある。たとえばスマートフォンの操作アシスタントやお掃除ロボットなど、私たちの身近な生活のあちこちに人工知能が見られる。また、ホテルや役所・医療機関で受けるサービスも人工知能を活用しているものが増えてきた。大学生にとって身近な例では、ソフトバンクやサッポロビールで導入されているＡＩ選考やリクルートキャリアが開発した内定辞退率予測ＡＩなどがある。内定辞退率予測ＡＩは、企業が内定を決めた学生が内定を辞退し他企業へ流れる可能性を予測するもので、その学生のリクナビでの行動ログ（どの企業を閲覧、エントリーしたかなどの履歴）がＡＩの学習用に使われている。このＡＩがいくつかの企業に販売され始めた後、就職活動者の個人情報を本人の同意なく有償で提供したことが問題視され、社会問題としてクローズアップされた。この問題は個人情報の扱い以上に根本的な課題であり、ＡＩ開発者と利用者のリテラシーにも着目すべきではないであろうか。リクナビは就活生の大半が登録しており他の企業が持たない大量のデータを持っている。今、さまざまな分野のプラットフォームを構築し膨大なデータを集収し続けているＧＡＦＡ（グーグル、アマゾン、フェイスブック、アップル）が問題視されている。内定辞退率予測ＡＩも規模が小さいながらも就活プラットフォームを利用した問題の一つである。今後、あらゆる分野にＡＩの導入が進むであろう。そのときＡＩの開発者は、

＊技術的に可能でも倫理的に開発すべきか

＊開発したＡＩがその後どのように利用されるのか

＊社会への影響はあるのか

という議論を主体的に行うべきであり、開発者のみならず、意思決定プロセスに使うＡＩの利用者は、

＊導入にあたっての議論が充分にされたＡＩであるか

＊データを扱う社会的責任はどのようなものか

を理解し、慎重に扱うことが求められる。

人工知能が私たちの生活に直接的に影響を及ぼすようになってきた今、開発に関わるエンジニアだけ

ではなく、ユーザーを含むすべての人々が可能な限り人工知能の仕組みを学び、できることの限界や問題点を理解する必要があるのではないだろうか。つまり理系の学生に対して人工知能の開発スキルを養うＡＩエンジニア教育とは別に、文系の学生に対しては、ユーザーとしてだけではなくシステム導入者として、データの扱いや社会への影響などの責任を担う力を養うＡＩリテラシー教育が求められている。

## 一　文系の学生がＡＩを学ぶということ　――ＡＩリテラシー教育――

実は、ＡＩリテラシーとは何かがいまだ明確にはなっておらず、その教育方法を論ずるには時期尚早という懸念もある。現在のＡＩは第三次ブームと言われているが、一九八二年ごろから始まったパソコンブームと重なる部分が多い。当時のパソコンは開発者か一部のマニアだけが使えるものであったが、一九九五年ネットワーク機能を標準に搭載したWindows95が発売され、単なる計算機としての役割から情報収集の道具として急速に普及した。パソコンの中身がどうなっているのか、どのようにしてコンピュータとコンピュータが情報交換しているのかわからないが、この便利な機械を使えるようになりたいと多くの人が使い始めた。特別な技術を持たなくとも誰でも容易に使えるようになると、犯罪になるようなネットトラブルからフェイクニュースなど、社会倫理に関する多くの問題が顕在化し、ネットワークリテラシー教育の必要性が叫ばれ始めた。しかし多くの一般利用者は、危険性より利便性を享受していた。危険性が実感にできるようになったのは、自分のパソコンがウィルスに感染して使えなくなった時や、ネット掲示板でバッシングを受けた時など、自ら経験したり、身近な知り合いの体験を見聞きしたりしてからではないだろうか。

初等中等教育をはじめ、高等教育の場でも情報倫理やセキュリティ教育などが実践され、それなりの効果を挙げているが、それは学ぶ者が必要性を感じ、興味関心を持ったからであろう。まさに新しいことを学ぶとき、学びの効果を高める要因はこの「必要性を感じる」「興味を持つ」ことが重要である。

現在のＡＩは、誰でも容易にコンピュータネットワークが使えるようになった頃と同じ状況にあり、ＡＩリテラシー教育の必要性は、近い将来を見据えて必要なことは明白である。しかし人工知能の仕組みがどうなっているのか、今後この技術が社会にどのような影響を及ぼすのかを理解している人は多くない。そもそも多くの生活者は日々の生活の中でＡＩの必要性を実感しているのであろうか。またＡＩに興味を持って学びたいと思っているのであろうか。大学生に焦点を当てても、ＡＩに興味を持って本気で学びたいと思っているのは、理系を中心とした一部の学生に限られ、多くの学生はＡＩという言葉の珍しさから興味を持ったとしても、学びの必要性を実感してはいない。

次章に、筆者らが構築したＡＩシステムを使って、大学生のＡＩに対する意識を高める授業の実践例を述べる。

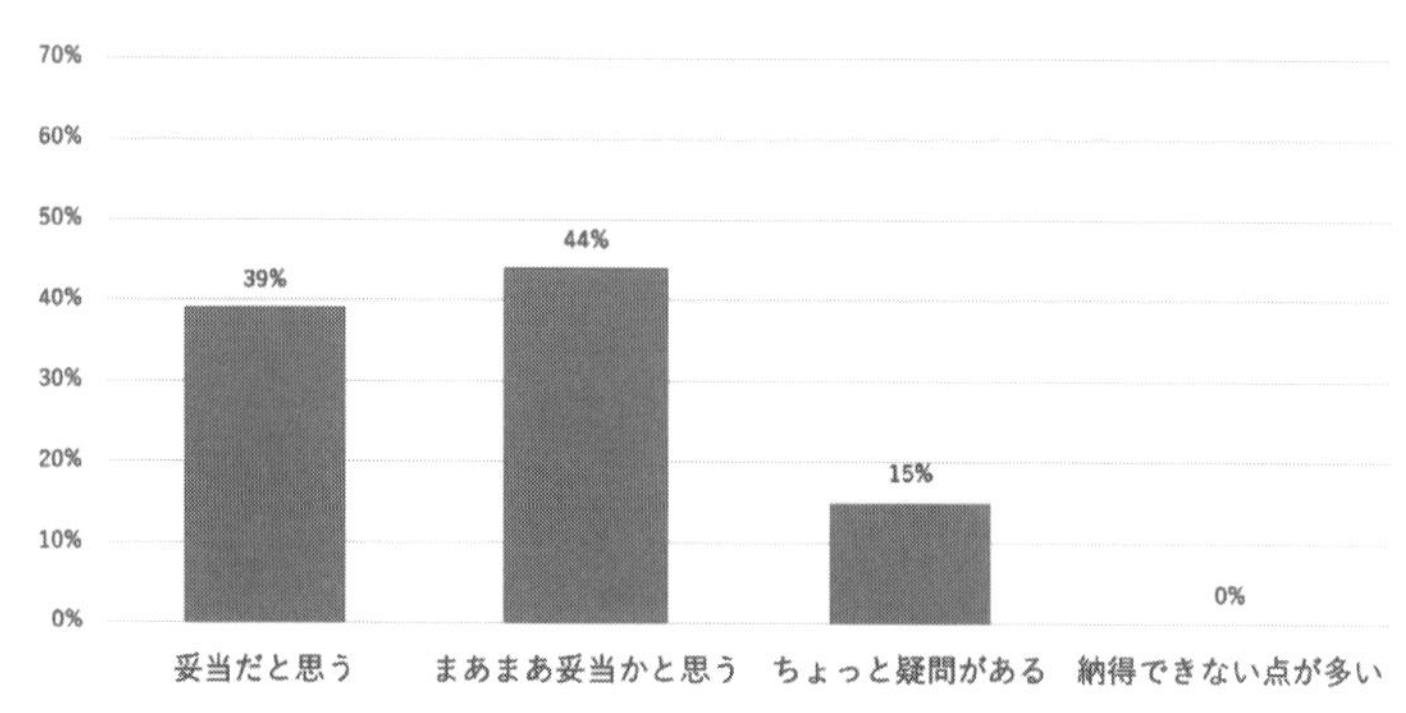


図１　AIの評価に対する感想

## 二　Word作品採点ツールを用いた授業実践例

この授業は、筆者らが構築したWord作品採点ツールを学生に体験させ、体験前後でのＡＩに対する各自の意識の変化を確認させることを目的としている。Word作品採点ツールは、Wordで作成したポスターの完成度をIBM Watson の Visual Recognition を用いてランクＡ～Ｄの四段階に分類するツールである。ポスターの作成は一年次春学期の必修科目である「情報活用演習Ｉ」において、初回の授業で行うクラス分けテストの中で、Wordのスキルをはかる実力テストとして実施している。これは「歩きスマホ防止ポスター」を作成する課題で、執筆要項と見本を見ながら作成する。採点ツールは筆者らがクラス分けテストの採点の自動化を目的として開発したものであるが、これを学生が自ら自分の作品を分類させた。まずＡＩの仕組みやどのように分類しているかなどについて説明せずに、自分の作品をＡＩに評価させることだけ説明し、分類後にアンケートを実施する。ＡＩの評価は妥当だと思うかどうか質問した結果を図

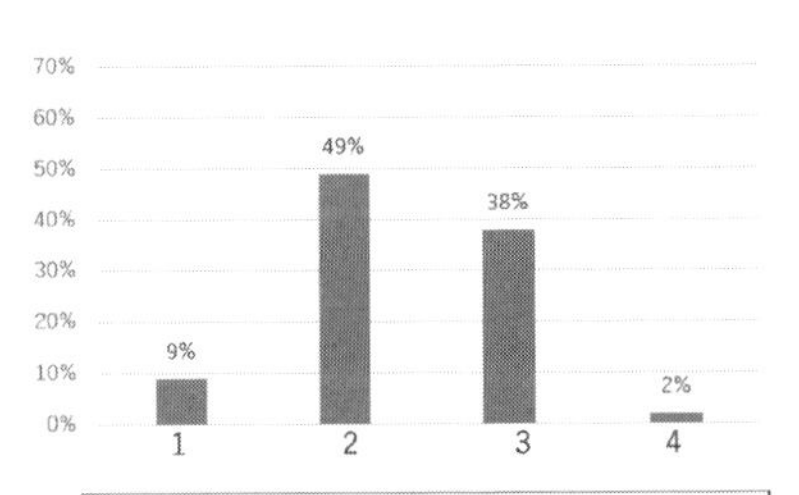


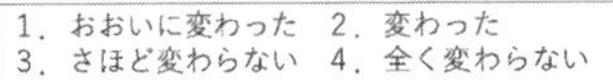


図３　AI に対する思いの変化

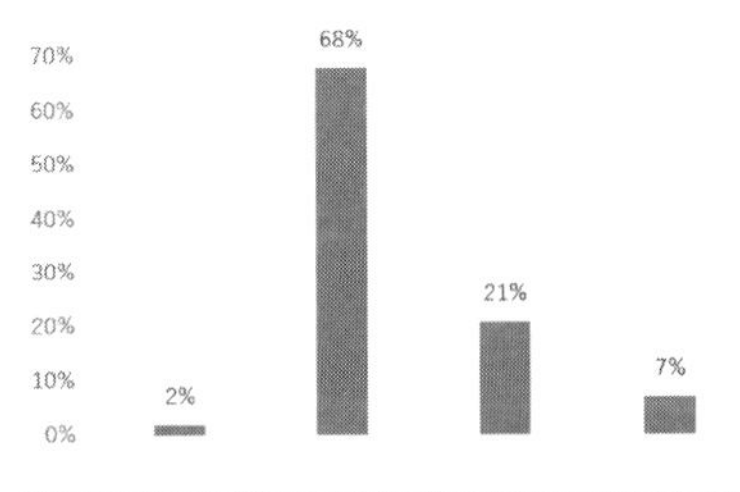


1．おおいに活用　2．AI特徴を把握した上で活用
3．限定的に活用　4．使うべきでない

図２　AI をポスター判定に活用すること について

表１　AI に関する解説前と解説後の回答の比較

| | 解説前のアンケート | 解説後のアンケート |
|---|---|---|
| A | コンピュータが正しい値を出すからといって、人間の意見、文書、考えなどを判断するのは、単純すぎると思うが、私たちがAIに認められる技術や考えを身に着けることがこれからの課題なのかな、と考える。 | AIに認められる技術を私たちが身につければいいのか、と思っていたが、AIの判定基準はトレーニングされた人であり、何かを付け足したり工夫したりしてもそれは評価の対象外だと知り、コンピュータの型にはまること、また、AIの判定に縛られるようなAIとの関わり方や評価は物足りない気がする。 |
| B | すごく正確に診断してくれているのだと思いました。<br>細かい数値まで出ていてすごいと思いました。その分、細かいところまで隅々まで見ているのだとわかりました。<br>人間が資料を一つ一つ確認するよりも早く、正確であるため、いろいろなところでAIが活躍するんだろうなと思いました。<br>今回、私が作った資料もAIに認められたようで少しうれしいです。 | トレーニングさせた人がいて、その人たちによって偏りがあることに驚きました。<br>文章を頑張って書いても、図としてしか読み取ってもらえないのだと、少ししか書いてない人とたくさん書いた人の評価が同じになってしまうので、不平等ではないかと考えました。<br>AIはほぼ正確に評価してくれますが、結局は人間がトレーニングしているので、図や表を判断する分にはいいですが、どうせなら文章も判断できるようになってほしいです。<br>誤字脱字もきちんと判断してくれれば、完璧なものになると思います。よって、AIの特徴を理解したうえで、活用すべきだと思いました。 |

1に示す。

「妥当だと思う」「まあまあ妥当かと思う」を合わせると八割を超えており、自分の評価と大きな相違はないと感じていることが分かる。また自分の評価と違う評価であった学生は「ちょっと疑問がある」と回答しており、「何を基準にどう判断しているのかが分からない」「ＡＩの結果が必ずしも正しいわけではないと思う」という感想を持っている学生も認められるが、多くの学生はＡＩの評価に疑問を抱いていないようである。

次に、ＡＩに評価させるまでのプロセスとして『教師あり』のトレーニングを施していること、作品は画像情報として符号化されていること、ＡＩが評価した根拠はわからないこと、を解説したのち、再度アンケートを実施した。ＡＩの評価基準を聞いてポスターの評価に活用してもよいと思うかと聞いた結果を図2に、ＡＩに対する思いが変わったかどうか聞いた結果を図3に示す。

判断にＡＩを使うことの是非について、説明前には「ちょっと疑問がある」と答えた人が一五％であったが、説明後は「ＡＩ特徴を把握した上で活用」が六八％に達し、自らの体験を通しての説明に効果があることを示している。また、ＡＩに対する思いの変化も五〇％以上の学生が変化したと答え、実体験を通した授業の効果が認められる。

すでに多くの学生はスマホでＡＩを使ったり、採用活動にもＡＩが導入されて知らないうちにＡＩから評価され選別されたりしているにもかかわらず、ＡＩがどのような仕組みで動いているのか知らず、身近にあるのに遠い存在であることがうかがえる。このような学生たちに対して、より効果的なＡＩリ

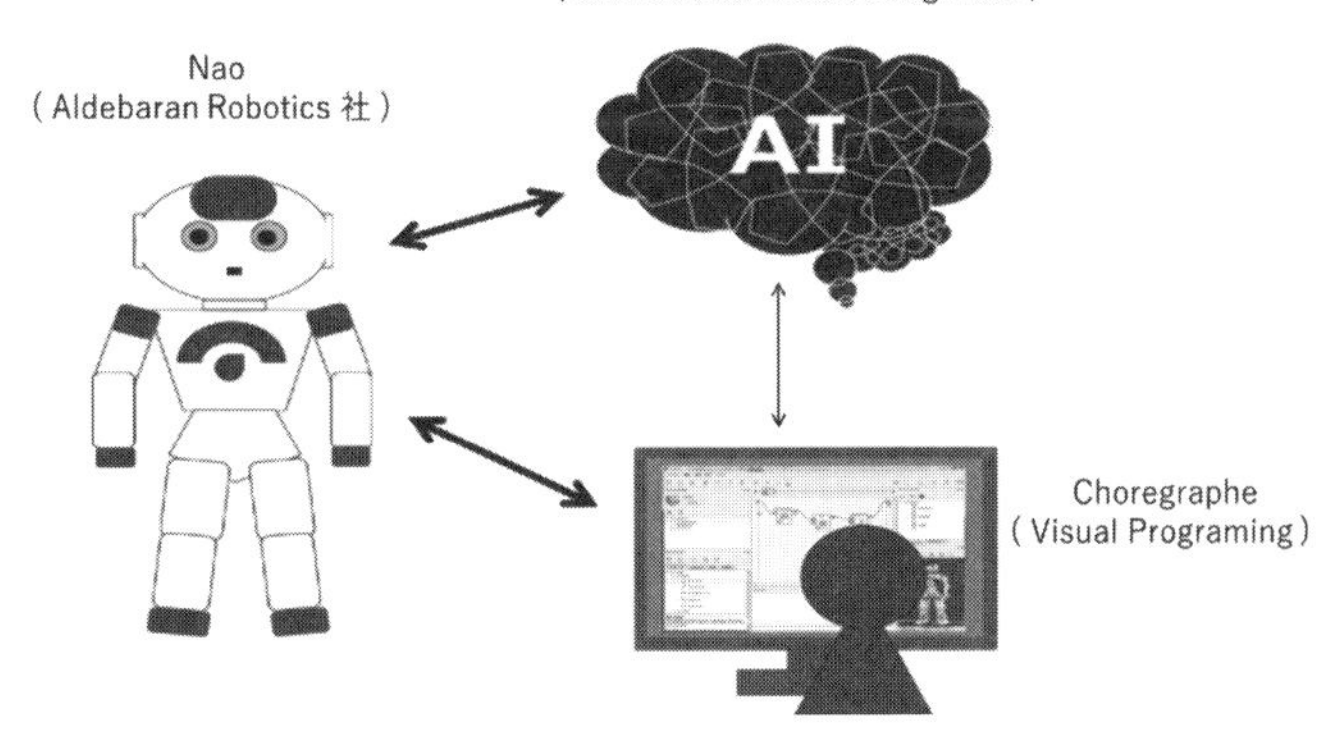


図4　AIとロボットのリンク

テラシー教育を実践するには、「触れて、感じて、考えさせる教育」が必要である。

次章で、二〇一九年度春学期に行ったものより実践的な授業を実施するためのツールの開発と授業例を紹介する。

## 三　「触れて、感じて、考えさせる教育」実践例

本章では、AIリテラシーの学びの動機作りに、実際にAIとロボットに触れさせることで『もっと深く知りたい』、『この技術はどんな事に使えるのか』、『技術と人の関係性はどうなのか』など、次のステップへ繋げる学びのための環境作りと実践例を報告する。

受講生は、社会学部社会情報学科の三、四年次の学生で、全員PHPを使ったWebプログラミング授業の履修を終えている。この授業では、「Webサービスと人型ロボットをリンクさせ、サービスの有用性と課題について学ぶと同時に、ロボットと人との会話がプログラミングによって実現されてい

ることを学ぶ」ことを目指している。

多くの会話ロボットは、クラウド上に置かれたＡＩとリンクしスムーズな会話を実現している。ユーザーは、このことに気付かず、ロボット自身が判断し応答しているように錯覚している。図４はＡＩのインターフェースとしてのロボットおよびＡＩそのものを開発者が操作しているイメージ図である。授業では学生が開発者となりＡＩを育てると共にロボットを介して収集した情報をＡＩに送り、その結果をＡＩから受け取りロボットを介して出力する学習環境を構築している。

ＡＩのツールは、Web サービスとして提供されている画像認識機能を持った IBM Watson Visual Recognition[3] を使った。これは一般画像に対して数千の分類ラベルから最適なものを選択し、その結果の信頼度を表すスコアー（０～１の数値）と共に出力する。また、人物画像に対して性別・年齢の推定、食べ物の画像についての分類、不適切画像の抽出など限定されたオブジェクトに対する認識も用意されている。さらに、転移学習を用いてユーザーが独自に分類クラスを定め、ユーザー自身によってＡＩをトレーニングさせることが可能となっている。開発した教材はこの機能を活用し学生自らＡＩを育てる体験を可能としている。また人型ロボットは Aldebaran Robotics 社が開発を手掛けた Nao と、その統合開発環境として提供されている Choregraphe を使って学習を進めた。

Choregraphe は、様々な機能を機能単位にボックス化し、必要に応じてボックス同士を接続することで目的の動作を実現するビジュアルプログラミング環境を提供している。このツールを活用することで、ＡＩの育成とロボットと人とのインターフェースを分離し学ぶと同時に、統合したシステムの学習を可能としている。
最終的に学生が学んだことを生かして作った作品の発表会を行ったが、終始興味・関心を損なうことなく取り組んでいる様子がうかがわれた。これは可能な限り技術的な障壁を低くし、受講生各自のアイデアをＡＩやロボットを介して自由に表現する環境を提供できたことが大きい。

## 四　今後の展望

コンピュータネットワークが普及した時、危険性より利便性に目が行き、体験して初めて情報倫理やセキュリティの重要性に気が付いたのと同じように、ＡＩが普及し始め珍しさに注目しているだけの状況で、単なる知識の提供ではＡＩリテラシー教育の効果は低い。まずは身近にどんなＡＩツールがあるのか、既に自分がどれくらいそのＡＩツールに関わっているのか体験することで、大半の学生は興味を抱くであろう。次のステップとして、興味から学びの必要性を実感するためには、「触れて、感じて、考えさせる」ことが必要になる。ＡＩに触れ、使い、そこで得られる気づきから、知識の習得へつなげるのが効果的ではないだろうか。

参考文献

（1）日本政府：「AI 戦略 2019」（有識者提案）～人・産業・地域・政府全てに AI～

（2）総務省：「情報通信白書平成28年版」（二〇一六）

（3）立花隆輝：「Watsonとロボットの音声対話機能」『日本ロボット学会誌』第35巻、第3号、p.199-202（2017）

# 第10章

# 中国における世界最先端のマーケティング事例

長崎　秀俊

## 一　中国におけるマーケティングの展開

多くの人は「中国企業におけるマーケティング」と聞くと、どのようなイメージを持つであろうか。多くの人が「made in china」に象徴されるような模造品や低品質品を連想するかもしれない。しかし、つい数十年前までは我々は同じイメージを「made in korea」に持っていたはずだが、今やサムスンやLGエレクトロニクスによる韓国製品は欧米を中心に日本ブランドより高品質なイメージ形成に成功している。確かに「made in china」の粉ミルクに毒素のメラミンが混入され、三〇万人の乳幼児の腎臓に障害が見つかったのはつい一〇年前のことである。しかし視点をものづくりではなく新規ビジネスの構築に移すと、そこには全く異なる中国社会の動向が見えてくる。そこで今回は、キャッシュレスとシェアリングエコノミーを中心としたビジネスインフラ構築による最先端のマーケティング・ケースを観察していく。だがその前に、中国消費社会の変化を確認する必要がある。マーケティングが成功するということは、仕掛ける企業側が優れている（必要条件）だけでなく、それを受け入れる消費基盤が存在（十分条件）してこそ初めて実現できるものであるからだ。近年中国企業マーケティングの成功を裏で支えていたのが「中間所得層の増大」による、供給を上回る巨大な需要の存在である。

中国消費者が「爆買い」のような購買力を身につけたのは、実はつい最近のことである。李（二〇一七）によると、一九八〇年代初頭に「三種の神器」と呼ばれる自転車、ミシン、腕時計の消費ブームがあったとされている。当時の価格としては平均的市民の年収半分近い数百元の価格のものだったが、ブームもあって一般家庭に普及していったという。その後、一九八〇年代後半には、白黒テレビやラジオが普及していった。日本においても同様の消費ブームが一九五〇年代の「三種の神器」ブーム（冷蔵庫、洗濯機、白黒テレビ）や、一九六〇年代の「3C」ブーム（クーラー、カラーテレビ、カー）が存在した。この時点で比較すると、日本と中国の間には三〇年の開きがあったといえる。しかしその後の中国の成長は著しく、一九九〇年に入るとカラーテレビ、冷蔵庫、エアコンの普及が一気に進行。李（二〇一七）によると、一九九〇年後半には都市部で白物家電の普及が一巡し、パソコンや携帯電話などIT機器が日本とほぼ同じ進行で消費されるようになっていったと指摘している。旅行や外食、教育など、無形資産を消費するサービス消費の拡大もこの時期の特徴であった。その後も中国消費者の需要は拡大を続け、二〇〇〇年に入ると住宅や自家用車、海外旅行が購買の対象になり、現在の日本とほぼ変わらない消費ステージへと駆け上がってきたことになる。

中国消費市場の急速な拡大の背景には、中産階層の存在が大きいとされている。蔡（二〇〇二）は、二〇〇〇年に入ってからの「中産階層の消費」は中国市場の最もホットな話題であり、このことが中国経済の高成長を牽引する新しいエンジンの一つであったと指摘している。蔡（二〇〇六）は、中国消費を急速に先進諸国と同等レベルに押し上げてきた中産階層の存在を一九八〇年から二〇〇五年まで三つの時期に分け、その特徴を分析している。（図1）

二〇一六年五月一七日付けの人民網日本語版では、「習近平総書記〝中間所得層を拡大し続けよう〟」

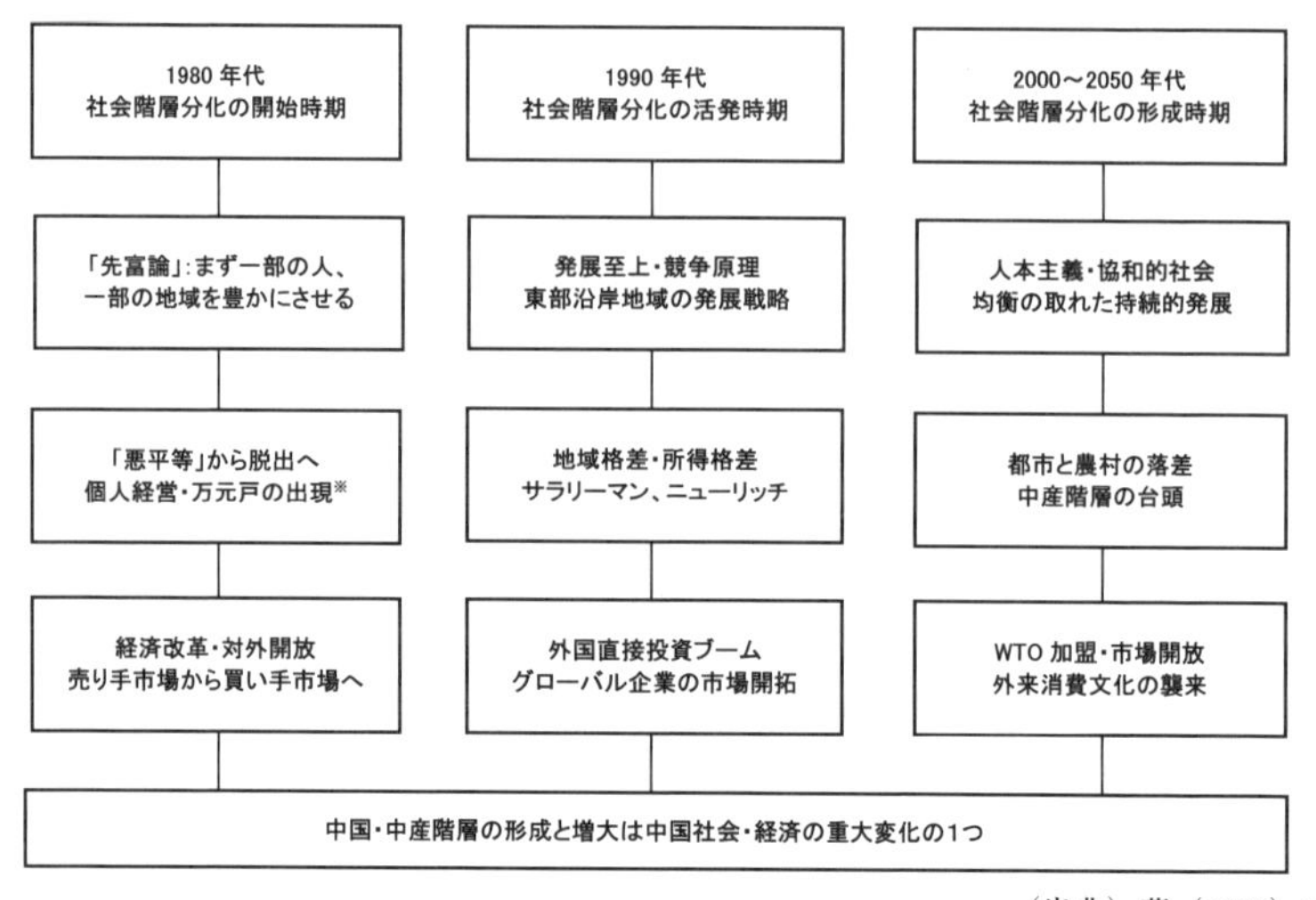


（出典）蔡（2006）P25

図1　中国社会における階層分化と中産階層形成の背景
※　万元戸とは、年間収入が一万元以上になった家族

というタイトルで記事が掲載されている。習近平氏は記事の中で、「中間所得層の拡大は、小康（ややゆとりのある）社会の全面的完成という目標の達成に関わり、方式転換による構造調整における必然的要請であり、社会の調和と安定、国家の長期的安定を維持する上での必然的要請だ。中間所得層の拡大においては、質と効率のある発展を堅持し、マクロ経済の安定を維持し、人民大衆の生活改善のためにより厚い土台を築かなければならない」と発言したと報じられている。これまでも、これからも中産階層（中間所得層）の拡大が中国経済や社会のよりよい発展に不可欠であることを明確にしている。

一九八〇年代、日本に三〇年遅れていた中国消費社会が、現時点では日本の消費社会に肩を並べ、一部業態では既に先を越されているのが現状である。中国政府や企業側がいくら中産階層に育って欲しいと願っても、現代の中国人消費者のニーズに合っていなければそれは絵に描いた餅になってしまう。しかし現在、キャッシュレス社会の実現とシェアエコノミー社会の実現においては、日本の先を行くだけではなく世界最先端を走っている。後の章にて、二〇一九年夏に実際に上海のマーケティング事情を視察してきた事例を紹介していく。

## 二　中国市場におけるキャッシュレス社会の実現

経済産業省（二〇一八）によると、「キャッシュレスとは、物理的な現金（紙幣・通貨）を使用しなくても活動できる状態」と定義している。キャッスレス化は国レベルで大きく異なっており、日本は非常に低い水準に留まっている。（図2）

このグラフからキャッシュレス化率世界一位が韓国であることが分かる。但し、実はキャッスレスを実現している手段が国ごとに異なっているため、手段までブレイクダウンして見ていく必要がある。韓国のキャッシュレス化は、クレジットカード活用で実現されている。一方、中国のキャッシュレス化は、スマホアプリを用いてQRコードを表示させ、それを店側が読み取ることで決済が完了するモバイル決済という仕組みを採用している。この点が韓国と中国で大きく異なる点である。朱（二〇一九）によれば、二〇一八年六月時点での中国インターネットユーザー数は八億一六六万人。そのうちモバイルインターネットユーザー数は七億八七七四万人であり、インターネットユーザー全体に占める割合は九

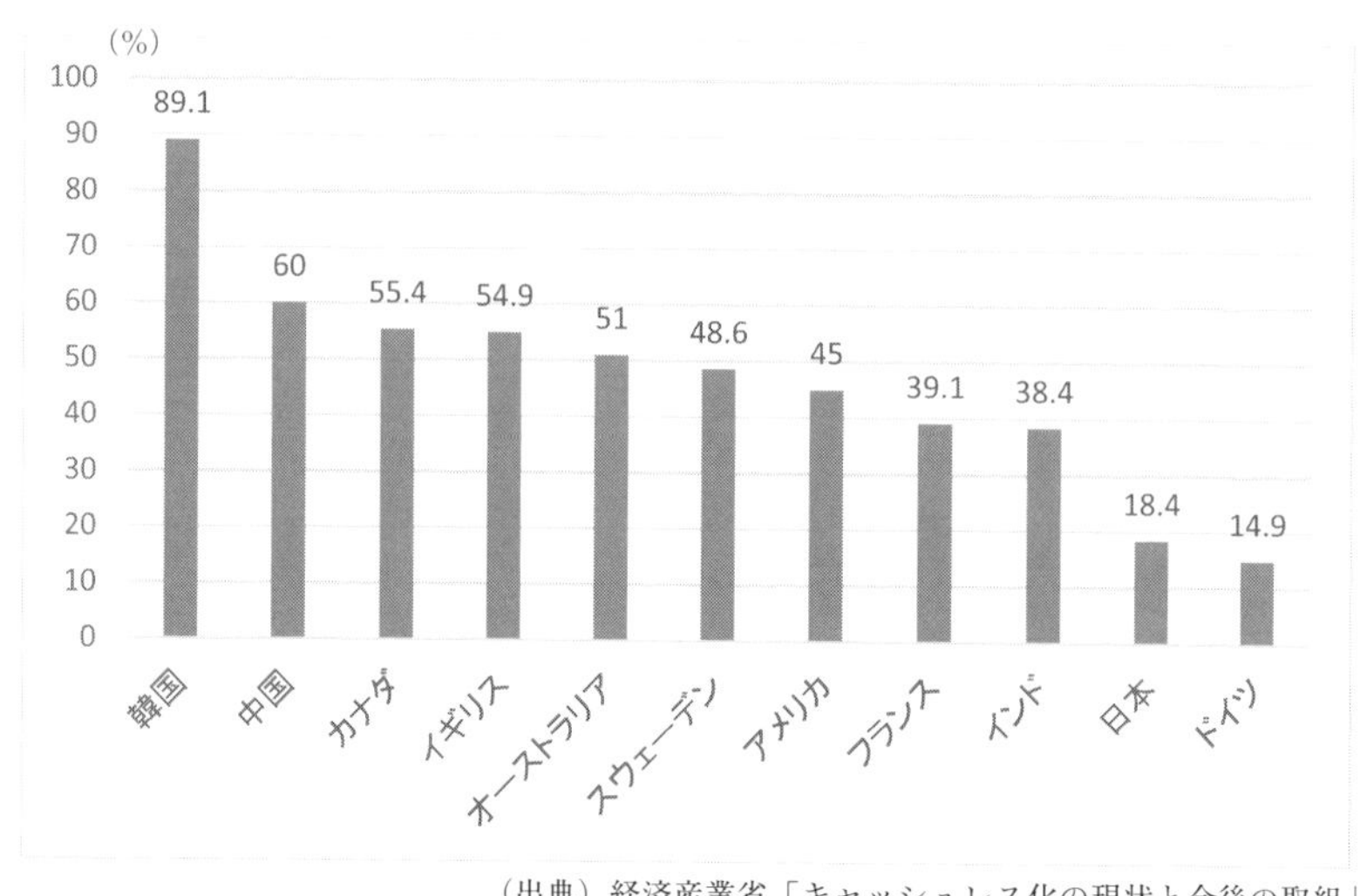


（出典）経済産業省「キャッシュレス化の現状と今後の取組」

図２　世界各国のキャッシュレス比率比較（2015 年）

八・三％にものぼるとしている。現在のキャッシュレス化世界一は韓国であるが、世界が注目しているのは二位の中国だ。その理由は類を見ない急激な成長率であり、世界が次世代のインフラとして注目しているからである。中国のモバイル・インターネットユーザー数が二〇一三年六月の七八・五％から、僅か五年で九八・三％へと急増している。ユーザー数の増加に伴い、モバイル決済数も比例して増加の一途を辿っている。朱（二〇一九）によると、二〇一四年のモバイル決済ユーザー数は二億一四〇〇万人であったが、二〇一七年には前年比二一・六％増の五億六二〇〇万人に拡大し、モバイル・インターネットユーザー数全体の七四・七％を占めるまでに至ったと指摘している。中国全体としてモバイル決済取扱い金額を見れば、その急成長ぶりが理解できる。（図３）

二〇一一年に一兆元だった取扱い額は、二〇一四

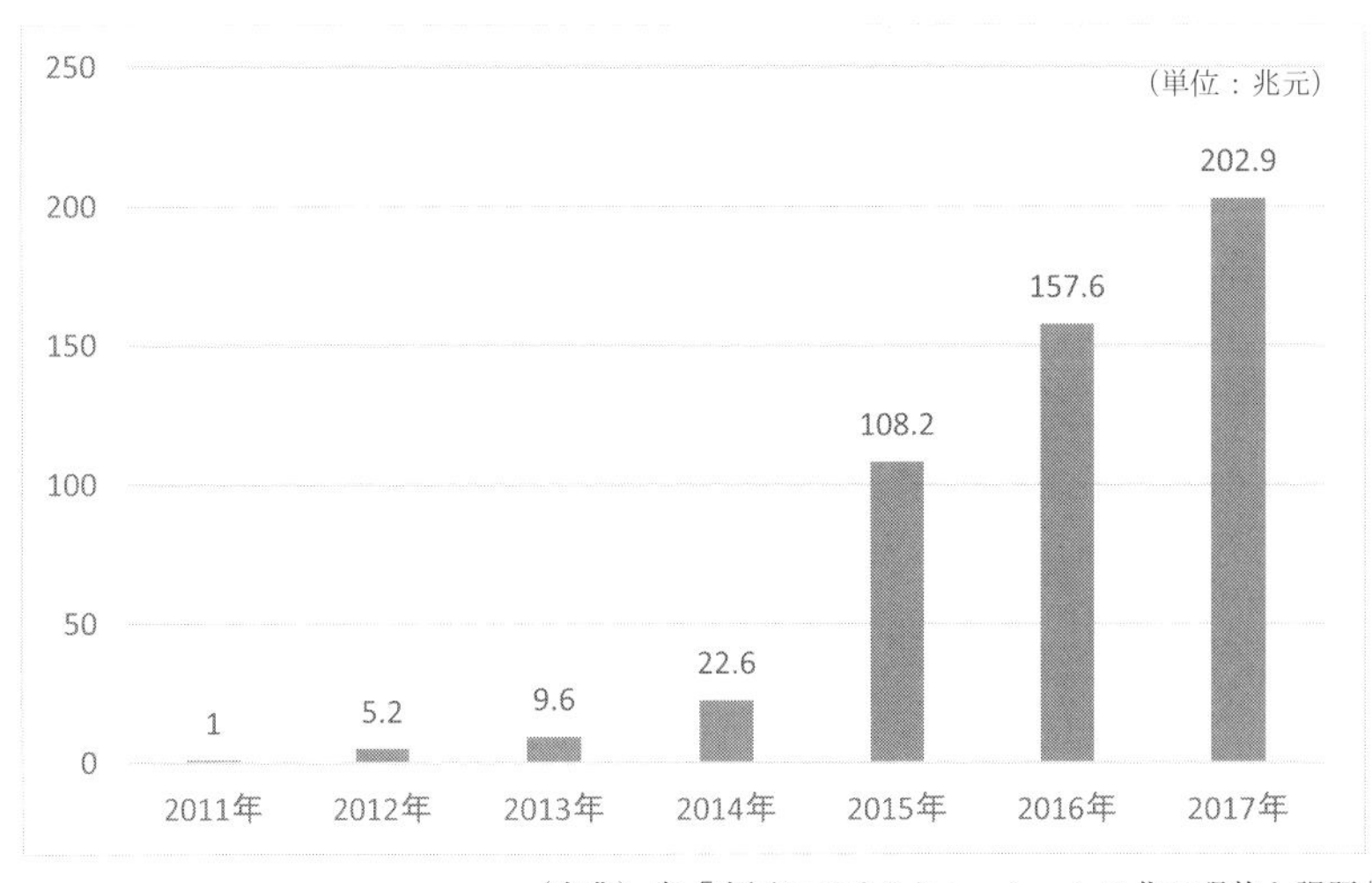


（出典）朱「中国におけるキャッシュレス化の現状と課題」

図３　中国におけるモバイル決済の取扱い金額の推移

年には二二・六兆元、二〇一五年には一〇八・二兆元、二〇一六年には一五七・六兆元、そして二〇一七年には二〇二・九兆元に急成長し、世界最大のモバイル決済大国になったのである。国民のモバイル決済頻度は高く、毎日利用するユーザーは全体の七八・八％をも占めている。毎日約八割の国民がモバイル決済を行っているということは、日用品を販売するスーパーやコンビニエンスストアだけではなく、町中のパパママストアまでに利用できる環境が整っていることを意味している。二〇一九年八月一七日から二一日にかけて行った視察旅行に際し、朝食をとろうと宿泊先ホテルの近所を歩き回ったが、売り場面積が一坪ほどの小さな路面の粥屋や饅頭屋でさえモバイル決済を実施していた。連日二時間ほどかけて一〇〜二〇の店舗を視察して回ったが、モバイル決済用のＱＲコードを提示していない店はなく、また現金払いしている顧客を一人も見かけるこ

図５　朝食屋でモバイル決済する顧客（著者撮影）

図４　街中の小さな朝食屋（著者撮影）

とがなかった。（図４）（図５）

毎朝観察していたが、もの凄い数の人が店を訪れ朝食を注文し、すぐさま去っていく。店にとっても商品提供の回転率を上げることは売上げ増加に直結する。いちいち紙幣が本物かを確認したり、お釣りを用意する必要がないからである。

また中国では駅中に設置してある自動販売機も全てモバイル決済を採用していた。機種は日本と同じような前面が液晶ディスプレイになっているベンディングマシーンから、前面が扉になっているガラス張りのボックスタイプのものまで、小銭や紙幣を入れる場所が存在せずＱＲコードが表示してあるだけであった。（図６）

今回視察した中国のキャッシュレス事情で最も驚いたことがある。それは店舗などではなくいわゆる行商のおばさんまでがモバイル決済を活用していたことである。夜遅くなると地下鉄入口の階段付近に現れるジャスミンの花売りの行商の高齢女性が首からモバイル決済に使用するＱＲコードをぶら下げていたのである。（図７）

図6　地下鉄構内ボックスタイプの自動販売機（著者撮影）

図7　首からQRコードをぶらさげたジャスミン売りの行商人（著者撮影）

現地上海の中国人に聞くと、これはごく一般的なことで行商の人にもこちらの方が都合が良く、急速に普及したとのことであった。その理由とは行商人には高齢者が多く、現金を持ち歩くのが危険なことと、また偽札などで騙されることがないからだという。中国特有の理由が、行商人にまでモバイル決済を普及させていたのである。

これ程までに普及したモバイル端末を活用した決済は、中国特有の新たなビジネスを生んでいた。今回は三つのケースを紹介する。モバイル決済でしか買物できない生鮮スーパーと、無人コンビニエンスストア。そしてネット上で注文と支払いを簡潔させるコーヒーショップの三つである。

最初に紹介する生鮮スーパーとは、中国最大のＥＣサイト・タオバオを運営するアリババ・グループによる「盒馬鮮生（フーマー・フレッシュ）」である。この店舗はリアル（オフライン）とバーチャル（オンライン）を融合させているところが最大の特徴で、店舗がＥＣサイトの倉庫を兼ねている。店内に入ると水色のトレーナーを着た従業員がネット

図８　店内天井をコンベアで移動するネット注文品　（著者撮影）

図９　上海虹橋空港内の無人コンビニエンスストア　（著者撮影）

経由で入った注文にしたがって店頭商品をピックアップし、すぐさま店内のベルトコンベアに乗せると、そのまま店舗奥の発送所へ運ばれ配達される仕組みである。近隣三キロ以内の注文を三〇分以内に届けるという。もちろん通常のスーパーのように店頭で買物しての決済も可能だ。但し、モバイル決済サービスのアリペイを提供している企業が運営するスーパーだけあり、決済には現金は一切使用できず、アリペイによる決済のみである。ちなみに店内の巨大水槽内の新鮮な魚介類を購入し、その場で調理してもらい店内で食べられることも、店の特徴のひとつである。（図８）

ふたつめに紹介するのは、米国AmazonGo同様の無人コンビニエンスストア「云拿无人便利店（ル・ピック）」である。仕組みはモバイル決済サービスのウィチャット内アプリを起動し、入口でQRコードをスキャンさせ入店。店内の商品をピックアップすると棚の重量探知機が作動し、棚前にいたスマホ所有者と情報が連動し購入準備としてカウントされる。最終的にゲートを通過してスマホと共に店外へ出ることで決済されるというもの。二〇一七年に設立された若い企業が運営しているが、既に上海、北京、天津、大連、昆

明などで同様の店舗を展開している。（図9）

最後のケースがLuckin Coffeeという新業態のコーヒーショップである。このコーヒーショップではメニュー表や注文カウンター、そしてキャッシャーまでもが存在しない。注文から決済までをモバイル端末で完結させるスタイルを貫いているのが特徴である。客はアプリをダウンロードし、注文する店舗を選び、「店頭受け取り」または「配達」を選びメニューを決め、モバイル決済を行う。店舗受け取りの場合、出来上がり予定時間が表示される。更に商品が店頭に用意されると、アプリに通知が届く仕組みである。客は出来上がり時間に店頭に行きQRコードを読み取り機にかざし、商品を持ち去ることで待ち時間をゼロにすることができるのだ。（図10）

図10　Luckin Coffee カウンターで受け取りを待つコーヒー（著者撮影）

上海人に聞くと「待つのが大嫌いな中国人には非常に合っている」との返答が返ってきた。このビジネスモデルは顧客側のみならず、店側にも大きなメリットをもたらしている。それは店員が注文や会計、顧客対応に追われる時間や手間を削減しているということであり、店員はコーヒーを入れることに専念できる。注文聞きや支払いの際も顧客対応が不要のため、コミュニケーション能力の低いバイト店員でもオペレーションが可能だということである。二〇一八年一月に北京で一号店をオープンしたLuckin Coffeeは同年一二月には店舗数が二、〇〇〇を超え、スターバックスを追い抜くと期待されている。

以上、紹介した三つのケースは、モバイル端末の普及と決済手段の整備、そして中国人の国民性から生まれた新しいビジネス形態である。すぐに完全な模倣をすることは難しいかもしれないが、サービス業界において人手不足が深刻な日本にとっては、非常に参考になる事例だと思われる。

## 三　中国市場におけるシェアエコノミー社会の実現

デジタル大辞泉（二〇一六）によると、シェアリングエコノミーとは「物・サービス・場所などを、多くの人と共有・交換して利用する社会的な仕組み」としている。また総務省（二〇一五）は、「個人が保有する遊休資産（スキルのような無形のものも含む）の貸出しを仲介するサービス」としている。また一般社団法人シェアリングエコノミー協会では、「インターネット上のプラットフォームを介して個人間でシェア（賃借や売買や提供）をしていく新しい経済の動き」と定義している。シェアリングエコノミーの概念は米国で生まれ、社会的な課題を解決する新しいサービス形態として注目された。二〇〇八年には空室をシェアするAirbnbや、様々な代行のマッチングサービスを提供するTaskRabbitがサービスを開始している。翌二〇〇九年には空車を手配するUberが、その翌年の二〇一〇年には旅行ガイド斡旋サービスのVayableが、更に二〇一二年にはライドシェアのLyftがサービスを提供している。

このシェアリングエコノミーの波は、瞬く間に中国にも押し寄せることとなる。二〇一二年、DiDi（滴滴出行）がUber同様の配車サービスの提供を開始。二〇一四年にUberが中国市場に参入したが、結局二〇一六年にDiDiに事業とブランドを譲渡している。藪内（二〇一八）によれば、彼らはその後圧倒的な市場支配力を発揮し、中国の四〇〇以上の都市において三億人にサービスを提供している。これだけ急速な普及を見せた背景には、中国社会における自動車保有率の上昇という事情が関係している。二〇〇九年、中国は自動車生産販売台数でトヨタ自動車を抜いて世界一位の座を獲得している。藪内（二〇一八）によると、二〇〇九年に一〇〇世帯当たりの自動車保有台数が一〇・九台だったものが、二〇一二年には二一・五台と激増したことにより北京、上海の交通渋滞が激化し、そこから自動車以外の移動手段としての自転車シェアの必然性が高まったと指摘している。

そして二〇一四年、中国で初めて自転車シェアリングサービスを始めたのがofo（共享单车）である。ofoは北京大学の学生四名が始めたビジネスであり、二年後の二〇一六年には二二の都市に大量の自転車を投入して一気にビジネスを拡大させている。彼らのサービスは、顧客にスマホ経由で九九元（一元＝約一七円）のデポジットを振り込んで登録させるところから始まる。次に駅前やショッピングモールに停まっているシェア自転車の番号を同社アプリに入力することで鍵番号を通知、同時に課金が始まる。目的地についたらスマホで「終了」を入力することで、一時間一元の料金がモバイル決済される仕組みである。このビジネスは中国ならではの渋滞事情を背景に、急速に拡大を見せることになる。

二〇一五年にはモバイク（摩拜単車）社が北京で企業。先行のビジネスモデルに改良を加え、二〇一六年に北京と上海でビジネスを開始している。同社の自転車にはGPSと遠隔操作機能が組み込まれており、自動開錠・施錠や、走行中のルート情報、消費カロリー表示サービスも提供している。また使用後の駐輪場所を画像でアップするとポイントが加算させる仕組みを導入し、他の利用者にも自転車の駐輪場所が分かるという工夫も採用されている。シェア自転車サービスはその後も急激に拡大し、全国で一六〇〇万台近い自転車が投入され、それが放置自転車の問題や交通違反といった新たな社会問題を生んでいるという。しかし一方で、今回上海の街を歩いてみてシェア自転車で目に付いたのは、圧倒的に青いカラーのものが多かった。これは後発参入したアリババ・グループが手掛けるハローバイクである。（図11）

図11　街中にとまるハローバイク
（著者撮影）

なおシェア自転車各社は車体の色に関して、ofoが黄色、モバイクがオレンジ色と分けることで識別性を高めている。

今回の上海視察で様々な場所に足を運ぶことで、自転車以外の新たなシェアリングビジネスの現場を目にすることができた。一つがモバイルバッテリーのシェアリングサービスである。（図12）

また地下鉄駅構内で見かけたのが傘のシェアサービスであった。（図13）

モバイルバッテリーと傘に共通するのは、誰もが必ず常に持ち歩いているものではないが、いざ必要

図 12　飲食店カウンターにあるシェア・モバイルバッテリー貸出・返却機器（著者撮影）

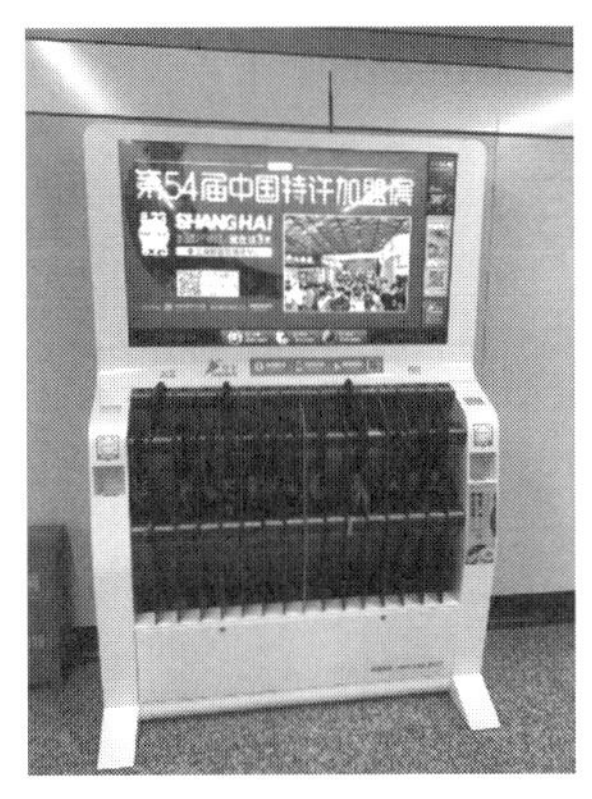


図 13　地下鉄駅構内の傘シェアリングサービス機器。（著者撮影）

な時になくなると非常に困る機器だということである。この手のサービスを成功させるには必要性を感じた時に近くに借りられる場所があり、且つ返却場所の選択肢が多くあることで、顧客の探索時の煩わしさを低減させることである。モバイルバッテリーに関しては、一つのショッピングモール内の多くの店舗カウンターに返却場所が設置されていた。また傘に関しても、地下鉄駅の複数出口に機器を設置するなど、使用時と返却時の探索コスト低減策は練られていると感じた。

## 最後に

今回確認した中国における世界最先端のマーケティング・ケースとは、モバイル決済によるマーケティング施策の実現と、多岐に亘るビジネス領域でのシェアリングエコノミーによるマーケティング施策の実現であった。キャッシュレス化が進んでいる国では韓国が一位だったが、これはクレジットカード利用によるものであった。中国はモバイル決済において世界一位の市場となり、現在も急激な成長を見せている。クレジットカード決済を行うためには高価な決済用端末が必要になる。しかし今回のジャスミンの花売りの行商人のケースで見たように、現在の中国式モバイル決済ではＱＲコードを印刷して持参するだけでよいのである。中国式モバイル決済の優位点は店舗側の参入障壁が少ないという点で非常に画期的なのである。

またシェアリングエコノミーに関しても、果敢なトライ&エラーにより常に新しいビジネスが生まれ、改良され、進化している。自転車やモバイルバッテリー、そして傘のシェアリングサービスはようやく日本でも実験的に開始されたばかりである。一九八〇年代、日本の三〇年後ろを歩いていた中国が、現在ではある部分で日本の先を歩いている。ニュースなどを賑わせる中国人による爆買いやマナー違反の記事ばかりに注目し中国を見ていると、その実力を見誤る可能性があるのではないだろうか。日本企業がなすべきことは、マーケティングにおいて中国の得意な点、不得手な点を冷静に見極めるところから、国際的なマーケティングの差別化を模索すべきではないだろうか。

〈引用文献〉

・一般社団法人シェアリングエコノミー協会（二〇一九）（https://sharing-economy.jp/ja/about/：2019.8.31閲覧）
・経済産業省（二〇一八）『キャッシュレス・ビジョン』（https://www.meti.go.jp/press/2018/04/20180411001/2

0180411001-1.pdf ： 2019.8.26 参照）
・経済産業省（二〇一八）「キャッスレスの現状と今後の取組」（https://www.kantei.go.jp/jp/singi/it2/senmon/dai14/siryou2-1.pdf ： 2019.8.26 閲覧）
・朱永浩（二〇一九）「中国におけるキャッシュレス化の現状と課題」（『ERINA REP8ORT PLUS No146 2019 FEBRUARY』）（https://www.erina.or.jp/wp-content/uploads/2019/02/se14620_tssc.pdf ： 2019.8.26 閲覧）
・蔡林海（二〇〇六）『巨大市場と民族主義 ― 中国中産階層のマーケティング戦略』（日本経済評論社）P25
・人民網日本語版（二〇一六年五月一七日）、「習近平総書記〝中間所得層を拡大し続けよう〟」（新華社）（http://j.people.com.cn/n3/2016/0517/c94474-9058925.html ：二〇一九年八月二六日閲覧）
・小学館（二〇一六）「デジタル大辞泉」（https://kotobank.jp/word/%E3%82%B7%E3%82%A7%E3%82%A2%E3%83%AA%E3%83%B3%E3%82%B0%E3%82%A8%E3%82%B3%E3%83%8E%E3%83%9F%E3%83%BC-1720825）2019.8.31 閲覧）
・総務省（二〇一五）『情報通信白書』（http://www.soumu.go.jp/johotsusintokei/whitepaper/ja/h27/html/nc242110.html ： 2019.8.31 閲覧）
・李玲（二〇一七）『中国人消費者の行動分析』（文眞堂）P96
・藪内正樹（二〇一八）「電子商取引からデジタル中国へ」（『敬愛大学研究論集』）(93),PP50-53

【ソシオ情報シリーズ19】社会情報の現場から

## 執筆者一覧


| 氏名 | 担当 | 所属 | 専門 |
|---|---|---|---|
| 林　俊郎 | 第一章 | 目白大学名誉教授 | 社会情報学 |
| 大枝　近子 | 第二章 | 目白大学教授 | 服飾文化 |
| 田中　泰恵 | 第三章 | 目白大学教授 | 社会デザイン |
| 星　玲奈 | 第四章・第五章 | 目白大学専任講師 | 食育 |
| 松岡　陽 | 第五章 | 目白大学助手 | 介護福祉 |
| 廣重　剛史 | 第六章 | 目白大学准教授 | 社会哲学、社会デザイン |
| 藤巻　貴之 | 第七章・第八章 | 目白大学専任講師 | 社会心理学 |
| 澤口　右京 | 第八章 | 目白大学大学院 | 心理学研究科現代心理専攻博士課程 |
| 吉岡由希子 | 第九章 | 目白大学専任講師 | 環境学・情報教育・自然災害科学 |
| 新井　正一 | 第九章 | 目白大学教授 | フィールド情報学 |
| 小川真里江 | 第九章 | 目白大学非常勤講師 | 情報教育 |
| 長崎　秀俊 | 第十章 | 目白大学教授 | マーケティング論、ブランド戦略論 |

# ソシオ情報シリーズ1〜18　目次総覧

ソシオ情報シリーズ1

## 社会情報の眼



ソシオ情報シリーズ2

## 情報のリスク

ソシオ情報シリーズ3

## 情報の「ウソ」と「マコト」

序 〈トンデモ〉本をめぐる「ウソ」と「マコト」（林 俊郎）
1 ダイオキシン訴訟（林 俊郎）
2 情報ハンディキャップ（宮田 学）
3 『恋のエージェント』サイト」の落とし穴（新井正一）
4 Webデザインの「よい」と「わるい」？（松川秀樹）
5 ネット取引と消費者トラブル（里田武臣）
6 遺伝子組み換え食品表示の「ウソ」と「マコト」（蒲生恵美）
7 コミュニケーションは会話から（海老澤成享）
8 マネーをめぐる情報の「ウソ」と「マコト」（木村由紀雄）
9 リコール・社告の実態（山崎令氏）
10 コンビニの利便性とリスク（大枝近子・橋本洋子・林 知子）
11 聴こえない英語の音（眞田亮子）
12 子どもの言い訳と嘘・ごまかし（渋谷昌三）
13 「神話」形成の光と陰――立原正秋「剣ヶ崎」を読む――（橋詰静子）

ソシオ情報シリーズ4

## 情報を斬る

序 社会情報学への挑戦（林 俊郎）
1 情報の真偽と勘違いの心理学（渋谷昌三）
2 高校生の制服支持の背景（大枝近子）
3 色――その科学的存在と私たちのかかわり（松川秀樹）
4 「情報の伝え方」に挑む「サイエンス・コミュニケーション」（藤谷 哲）
5 事業に一大転機をもたらす情報――起死回生の物語（高谷和夫）
6 顧客満足度向上へのパラダイムシフト（山崎令氏）
7 インターネット社会でのボランティア活動（宮田 学）
8 BSE全頭検査の落とし穴（蒲生恵美）
9 環境情報とユビキタスネット技術（新井正一）
10 「めぐり逢い」三回作られた映画（眞田亮子）
11 建物は知っている――明治村トポグラフィー（橋詰静子）
12 回想――四五年をふりかえる（海老澤成享）

ソシオ情報シリーズ5

## 情報を科学する

序　背信の科学者（林　俊郎）
1　リスク評価の盲点（林　俊郎）
2　人づきあいにみられるリスク（渋谷昌三）
3　少年院小説『冬の旅』の情報力（橋詰静子）
4　耐震偽装の「素」（野田正治）
5　衣服のボーダレス化（大枝近子）
6　Ｗｅｂデザインのみやすさ、わかりやすさ（松川秀樹）
7　ネット・オークションと消費者トラブル（里田武臣）
8　消費生活用製品における消費者への情報提供と危害防止の視点（山崎令氏）
9　トレーサビリティシステムって何?（蒲生恵美）
10　理科離れを考える（新井正一）
11　大学でマーケティングを学ぶ意味（高谷和夫）

ソシオ情報シリーズ6

## 火の人類進化論

第1部　新説　人類進化論
　　――脳の急進化の謎に迫る――（林　俊郎）
第2部　シンポジウム
　　「母性と乳児哺育
　　――社会現象との相関を考える――」
　基調講演　人類進化と母乳　［林　俊郎］
　講演　お産のケアと乳児哺育　［戸田律子］
　講演　乳児哺育と〝ＨＵＧ〟　［橋本武夫］
　講演　母乳育児の社会学　［本郷寛子］
　シンポジウムの反響　［松川秀樹］
補論　青年期の問題行動と幼児期の生活（羽田紘一）
　　〈人工授精児〉のゆくえ（橋詰静子）

ソシオ情報シリーズ7

## 環境ファディズムの恐怖

1　環境ファディズム（林　俊郎）
2　社会志向型マーケティング・コンセプトの時代（高谷和夫）
3　家――その価値（野田正治）
4　歴史・社会・個人（橋詰靜子）
5　社会情報とファディズム（松川秀樹・石丸　梓）

ソシオ情報シリーズ8

## 社会情報の論点

1　日本民族発祥の地（林　俊郎）
2　日本の喫煙規制対策を振り返って（渡辺文学）
3　日本における受動喫煙問題について（中田ゆり）
4　こどもの環境と病気（林　俊郎・高橋美登梨）
5　『洲崎パラダイス』、特飲街の女の生命観（橋詰靜子）
6　自己呈示で情報を操作する（渋谷昌三）
7　グーグル（google）にみる情報の質（宮田　学）
8　色彩情報の整理と生活に生かす色（松川秀樹）
9　「NPO」を理解する（田中泰恵）
10　メディアのパーソナル化をどうとらえるか（内田康人）
11　居酒屋で学ぶ経済学（石丸　梓）

ソシオ情報シリーズ9

## 情報の人心誘導



ソシオ情報シリーズ10

## 風評被害の深層

ソシオ情報シリーズ11

# 未体験ゾーンに突入した日本

1　未体験ゾーンに突入した日本（林　俊郎）
2　日本人の視点（野田正治）
3　武蔵野遠く春来れば——郊外の発見、『武蔵野』を読む（橋詰靜子）
4　ピクチャー・ブック（絵本）からフリー・ブック（自由絵本）へ（宮田　学）
5　情報操作でその気になる・させる（渋谷昌三）
6　リアル・クローズの行方（大枝近子）
7　色彩の心理と生理的反応の一考察——社会情報の視点から（松川秀樹）
8　情報としての食品表示（田中泰恵）
9　消費者の貯蓄から投資へのシフトはなぜ進まなかったのか（木村由紀雄）
10　日本社会における相互依存的消費の背景（加藤祥子）
11　氷河時代の就職活動Ⅱ——社会に通用する人になろう（高谷和夫）

ソシオ情報シリーズ12

# 放射能への恐怖

1　放射能への恐怖（林　俊郎）
2　過去に学ぶ『三陸海岸大津波』と透谷・芭蕉・石牟礼道子（橋詰靜子）
3　小説に見られる社会情報的視点——「つながり」をキーワードとして——（松川秀樹）
4　日本的考える力（野田正治）
5　女性の脚衣の源流としてのトルコ風ズボン（大枝近子）
6　脱コモディティ化のマーケティング戦略（高谷和夫）
7　日本人の消費に見られる「横並び志向」の潮流——概念的整理を中心に——（加藤祥子）

ソシオ情報シリーズ13

## 社会をデザインする



ソシオ情報シリーズ14

## 社会デザインへのアプローチ

ソシオ情報シリーズ15

# 社会情報学から社会デザインへ

1 ソシオ情報シリーズの変遷と社会デザインへの視点（松川秀樹）
2 二十一世紀の奇跡――エネルギー革命がもたらす新世界――（林　俊郎）
3 ソーシャルデザインの学び（田中泰恵）
4 ソーシャルな空間とは?――墨田区のアートスペースを中心に――（藤賀雅人）
5 持続可能な地域社会のデザイン――東北の防潮堤問題と「椿の森プロジェクト」――（廣重剛史）
6 対話に役立つ心理的な環境要因（渋谷昌三）
7 エシカルファッションの現状と課題（大枝近子）
8 企業のCSV活動が購買意思決定に与える効果の要因（長崎秀俊）
9 移りゆく女性向け二次創作――ネットメディアが変える腐女子の姿――（瀧澤千佳）
10 篠田桃紅と桃紅処士（橋詰静子）

ソシオ情報シリーズ16

# 社会デザインと教養

1 教養としてのプログラミング教育（新井正一）
2 哲学史入門――現代社会と「私」を考えるために―（廣重剛史）
3 アベノミクスを受け入れた社会（木村由紀雄）
4 悪法のシナリオ（林　俊郎）
5 2021年以降の木造密集市街地の暮らし（藤賀雅人）
6 人はパッケージのどこを見ているのか（長崎秀俊）
7 絵本を「持ち替える」（宮田　学）
8 イスラームファッションの現在と今後――トルコを事例として――（大枝近子）
9 高齢期の社会心理（渋谷昌三）
10 作家　佐藤愛子と『晩鐘』（橋詰静子）

ソシオ情報シリーズ17

# 社会デザインの多様性



ソシオ情報シリーズ18

# エシカル消費と社会デザイン
## ―社会情報学の展開―

社会情報の現場から　ソシオ情報シリーズ 19

令和 2 年 1 月22日　初版発行

定価はカバーに表示してあります。

©編　者　目白大学社会学部社会情報学科

発行者　吉田敬弥

発行所　株式会社 三弥井書店

〒108－0073東京都港区三田3－2－39
電話03－3452－8069
振替00190－8－21125

ISBN978-4-8382-3361-8 C0036　整版・印刷 エーヴィスシステムズ